EXPOR TAÇÃO DESCOM PLICADA

KLEBER FONTES

EXPORTAÇÃO DESCOMPLICADA

O SEU PRODUTO ALÉM DAS FRONTEIRAS BRASILEIRAS

Copyright © 2020 de Kleber Fontes
Todos os direitos desta edição reservados à Editora Labrador.

Coordenação editorial
Pamela Oliveira

Preparação de texto
Daniela Georgeto

Projeto gráfico, diagramação e capa
Felipe Rosa

Revisão
Fausto Barreira Filho

Assistência editorial
Gabriela Castro

Imagem de capa
Freepik.com

Dados Internacionais de Catalogação na Publicação (CIP)
Angélica Ilacqua – CRB-8/7057

Fontes, Kleber
　　Exportação descomplicada : o seu produto além das fronteiras brasileiras / Kleber Fontes. – São Paulo : Labrador, 2020.
　　240 p.

ISBN 978-65-5625-033-5

1. Exportação 2. Comércio internacional I. Título

20-2138　　　　　　　　　　　　　　　　　　　　　　　　CDD 382.6

Índice para catálogo sistemático:
1. Exportação

Editora Labrador
Diretor editorial: Daniel Pinsky
Rua Dr. José Elias, 520 – Alto da Lapa
05083-030 – São Paulo – SP
+55 (11) 3641-7446
contato@editoralabrador.com.br
www.editoralabrador.com.br
facebook.com/editoralabrador
instagram.com/editoralabrador

A reprodução de qualquer parte desta obra é ilegal e configura uma apropriação indevida dos direitos intelectuais e patrimoniais do autor.

A editora não é responsável pelo conteúdo deste livro.
O autor conhece os fatos narrados, pelos quais é responsável, assim como se responsabiliza pelos juízos emitidos.

SUMÁRIO

DEDICATÓRIA 13
AGRADECIMENTOS 15
PREFÁCIO 17

1º CAPÍTULO – "OS PAÍSES MAIS DESENVOLVIDOS SÃO OS MAIORES EXPORTADORES" 21
   Introdução 21
   Internacionalização das Pequenas e Médias Empresas (PMEs) 23
   Por que exportar? 24
            Aproveitar a oportunidade 25
            Evitar sazonalidade do mercado interno 26
            Melhorar a imagem da empresa 26
            Reduzir a ociosidade na produção 26
            Aproveitar os benefícios tributários 26
            Diversificar o mercado 27
            Obter linhas de crédito 27
            Possuir capacidade inovadora 27
            Melhorar a qualidade 28
            Aumentar o ciclo de vida do produto 28
   O que exportar? 29
      Revenda 29
            Atacado 30
            Varejo 30
      Uso próprio 30
            Matéria-prima 30
            Máquinas e equipamentos 30
      OEM e ODM 31
            Original Equipment Manufacturer (OEM) 31
            Original Design Manufacturer (ODM) 31
      Qualidade 32
      Embalagem, etiquetas e rótulos 33
      Código de barras 36
      Registro de marcas 38
      Patentes 39

2º CAPÍTULO – "DIVERSIFICAR O SEU MERCADO-ALVO É PRIMORDIAL PARA O SEU NEGÓCIO" 40
Para onde exportar? 40
Limítrofes e próximos 41
Defasados tecnologicamente 41
Acordos comerciais 41
Mercosul 42
Associação Latino-Americana de Integração (Aladi) 43
União Europeia (EU) 43
Sistema Geral de Preferências (SGP) 44
Sistema Global de Preferências Comerciais (SGPC) 45
Barreiras técnicas do país comprador 46

3º CAPÍTULO – "CAPACIDADE DE EXPORTAÇÃO É A COMPETÊNCIA DE ADAPTAR O SEU PRODUTO AO MERCADO GLOBAL" 48
Quanto exportar? 48
Capacidade de produção 49
Capacidade de exportação 49
Pedido mínimo por embarque 49
Pedido máximo por embarque 50
Formação do preço de exportação 51
Tempo de produção e prazo de entrega 54

4º CAPÍTULO – "EU VOU LHE MOSTRAR COMO EXPORTAR" 56
Como exportar? 56
Desenvolvimento de clientes no exterior 57
Uso da internet 57
Feiras internacionais no Brasil 58
Feiras internacionais no exterior 58
Missões empresariais 60
Câmaras de Comércio 60
Assessorias especializadas 61
Tradings estrangeiras no Brasil 61
Traders 61
Brokers 62
Agentes de compras 62

5º CAPÍTULO – "INTERNACIONALIZAR O SEU NEGÓCIO É UM CAMINHO SEM VOLTA" 63
Como ingressar no mercado-alvo 63
Importador-distribuidor 63

Subsidiária comercial do fabricante-exportador 64
Comerciantes varejistas 64
Joint venture 64
Indústria 64
Marketing off-line e digital 65
    Redes sociais 65
    Website 66
    Catálogos 67
    Tabela de preços 68
Quando exportar? 70
Relacionamentos interpessoais 70
    Negociação entre exportador e importador 71
        Negociando por e-mail 71
        Negociando pessoalmente 73

6º CAPÍTULO – "SE PREPARE PARA ATENDER O MUNDO" 76
Constituição da empresa, aquisição ou
adequação para exportar 76
    Sociedades empresariais 76
        Limitada 77
        Anônima 77
        Eireli 78
Administrador 78
Capital integralizado 79
Atividades econômicas da empresa 80
Endereço comercial 81

7º CAPÍTULO – "NA EXPORTAÇÃO, A TRIBUTAÇÃO É MÍNIMA, O QUE VOCÊ ESTÁ ESPERANDO PARA EXPORTAR?" 82
Planejamento tributário 82
Regimes de tributação 82
    Simples Nacional 83
    Lucro Presumido 83
    Lucro Real 84
Classificação fiscal 84
    Destaque e atributos da NCM 86
Tributação na exportação 86
    Imposto de Exportação (IE) 87
    Imposto sobre Produtos Industrializados (IPI) 88
    Programa de Integração Social (PIS) e Contribuição para o
    Financiamento da Seguridade Social (Cofins) 88

Imposto sobre Circulação de Mercadorias e Serviços (ICMS) 89
Lei Kandir 89
Imposto de Renda Pessoa Jurídica (IRPJ) 90
Contribuição Social sobre o Lucro Líquido (CSLL) 90
Encargos sociais 91
Documento de Arrecadação do Simples Nacional (DAS) 91

8º CAPÍTULO – "TORNAR-SE EXPORTADOR É MUITO MAIS FÁCIL DO QUE VOCÊ IMAGINA" 93
Radar-Siscomex 93
Expressa 93
Limitada 94
Ilimitada 95
Revisão de estimativa 97
Certificação digital 97
Certificado Digital e-CPF 98
Certificado Digital e-CNPJ 98

9º CAPÍTULO – "EXPORTAÇÃO É O PROCESSO DE SAÍDA DE BENS E PRODUTOS DO TERRITÓRIO NACIONAL PARA OUTRO PAÍS" 99
Modalidades de exportação 99
Exportação direta 99
Exportação indireta 100
Comercial exportadora e *trading company* 101
Operações "contínua *versus spot*" 102
Exportação simplificada 103
Amostras 104
Exportação temporária 105
Exportação por conta e ordem 106
Entreposto aduaneiro na exportação 107
Exportação em consignação 108

10º CAPÍTULO – "É TUDO UMA QUESTÃO DE LOGÍSTICA" 110
Logística nacional e internacional 110
Incoterm (condição de venda internacional) 111
Grupo "E" – Partida 112
Grupo "F" – Transporte Principal Não Pago pelo Exportador 112
Grupo "C" – Transporte Principal Pago pelo Exportador 112
Grupo "D" – Chegada 113
Seguro internacional 115
Modais de transportes 117

Modal marítimo 117
Modal rodoviário 118
Modal aéreo 118
Cotação de frete internacional 119
    Marítimo 119
        Detention (origem) 122
        Estufagem do contêiner 123
    Aéreo 124
    Rodoviário 126
Frete rodoviário nacional e internacional 127
    Trânsito aduaneiro 130
        DAT – com base em Documento de Acompanhamento
        de Trânsito 130
        MIC/DTA, TIF/DTA – com base em documentos de
        transporte manifestados no Pucomex 131
        ESPECIAL – Entrega para trânsito especial 131
        SIMPLIFICADO – Entrega e recepção em trânsito simplificado 131
        LIVRE, ENTREGA/RECEPÇÃO – Livre entrega ou recepção
        pelos intervenientes 131

11º CAPÍTULO – "O QUE VOCÊ ACHA DE VENDER SEUS PRODUTOS E RECEBER O PAGAMENTO EM DÓLAR?" 133
    Recebimento do pagamento em moeda estrangeira 133
    Câmbio fixo e flutuante 133
    Modalidades de câmbio 134
        Antecipado 134
        Remessa direta 135
        Cobrança documentária 136
        Sem cobertura cambial 137
    SWIFT 137
    Seguro de Crédito à Exportação 138
    Detalhes sobre câmbio e controle 139
    Instituições financeiras 142
        Bancos 142
        Corretoras de câmbio 142
    Carta de crédito 143
        Tipos e características de cartas de crédito 145
            Revogável 145
            Irrevogável 146
            Transferível 146
            Intransferível 146

Confirmada ... 147
Divisível ... 147
Restrita ... 147
Transbordo ... 147
Análise prévia da carta de crédito ... 148
Financiamentos às exportações ... 150
Adiantamento sobre Contrato de Câmbio (ACC) ... 150
Adiantamento sobre Cambiais Entregues (ACE) ... 151

12º CAPÍTULO – "O MERCADO EXTERNO NÃO É PARA AMADORES" ... 152
Auditoria do exportador e/ou fabricante/produtor ... 152
Inspeção pré-embarque ... 153
Garantia do exportador/fabricante ... 155

13º CAPÍTULO – "UM PROCESSO BEM ESTRUTURADO GARANTE A VIABILIDADE DAS SUAS OPERAÇÕES" ... 156
Documentação e legislação ... 156
Regulamento aduaneiro brasileiro ... 156
Pedido de compra ... 157
Contrato internacional de compra e venda ... 158
Booking ... 160
Conhecimento de embarque aéreo ... 161
AWB ... 161
MAWB ... 161
HAWB ... 161
Conhecimento de embarque marítimo ... 163
BL ... 163
MBL ... 163
HBL ... 164
Conhecimento de embarque rodoviário ... 166
CRT ... 166
MIC/DTA ... 167
Fatura proforma ... 168
Fatura comercial ... 169
Romaneio de carga ... 171
Certificado de Origem ... 173
Contrato de câmbio ... 175
Liquidação do câmbio ... 175
Certificado Sanitário e Fitossanitário ... 176
Certificado de Seguro Internacional ... 176
Certificado de Fumigação ... 177

Fumigação 177
Embalagem de madeira 178
Certificado de Qualidade 180
Consularização de documentos 180
Nota fiscal de exportação 181
Código Fiscal de Operações e Prestações (CFOP) 183
Software de gestão empresarial 185

14º CAPÍTULO – "TECNOLOGIA AVANÇADA NA LIBERAÇÃO DA SUA CARGA" 186
Despacho aduaneiro 186
   Zona primária 187
   Zona secundária 187
   LPCO 187
   Declaração Única de Exportação (DU-E) 188
      Referência Única da Carga (RUC) 190
   Canal de parametrização 191
      Canal verde 192
      Canal laranja 192
      Canal vermelho 192
   Desembaraço aduaneiro 193
      Comprovante de exportação 193
      Averbação da DU-E 194
   Memorando de Exportação 194
   Envio dos documentos originais da exportação 195

15º CAPÍTULO – "A EXPORTAÇÃO É UMA REALIDADE" 199
Instituições de apoio ao exportador 199
   Agência Brasileira de Promoção de Exportações e
   Investimentos (Apex-Brasil) 199
   Confederação Nacional da Indústria (CNI) 200
   Serviço Brasileiro de Apoio às Micro e Pequenas
   Empresas (Sebrae) 201
Sistemas públicos brasileiros 202
   Sistema Integrado de Comércio Exterior (Siscomex) 202
   Portal Único Siscomex 203
      Controle de Carga e Trânsito (CCT) 204
      Centro Virtual de Atendimento ao Contribuinte (e-CAC) 205
Órgãos anuentes 206
   Ministério da Agricultura, Pecuária e Abastecimento (Mapa) 206
   Agência Nacional de Vigilância Sanitária (Anvisa) 207

Subsecretaria de Operações de Comércio Exterior (Suext) 208
Instituto Nacional de Metrologia, Qualidade e Tecnologia (Inmetro)....... 209
Instituto Brasileiro do Meio Ambiente e dos Recursos Naturais
Renováveis (Ibama) 210
    Comércio das Espécies da Flora e Fauna Selvagens em
    Perigo de Extinção (Cites) 210

16º CAPÍTULO – "GESTÃO ADMINISTRATIVA, OPERACIONAL E FINANCEIRA É A BASE DE TODO O SEU PROJETO"............................ 212
Financeiro 212
    Capital de giro 214
Cronograma de vendas internacionais 215
Estoque 218
    Estoque mínimo 218
    Estoque consignado 218
    Estoque sazonal 219
Incentivos, benefícios fiscais e regionais 219
    Regime Especial de Reintegração de Valores Tributários para
    as Empresas Exportadoras (Reintegra) 220
    Drawback.. 220
        Drawback integrado isenção 221
        Drawback integrado suspensão 221
        Drawback restituição 222
Zona de Processamento de Exportação (ZPE) 222

17º CAPÍTULO – "OS PAÍSES MAIS DESENVOLVIDOS SÃO OS MAIORES EXPORTADORES".. 224
Capacitação do profissional interno 224
Prestadores de serviço 225
    Contabilidade 226
    Despachante aduaneiro... 227
        Escopo do cliente exportador 228
        Follow-up... 229
        Numerário.. 229
        Fechamento... 230
    Agentes de cargas 231
    Terminais de cargas... 232
    Transportadoras 234

CONSIDERAÇÕES FINAIS 236
REFERÊNCIAS 238

DEDICATÓRIA

Aos criativos empresários e gestores das pequenas e médias empresas brasileiras, empregadores preponderantes, responsáveis por 98% de todos os negócios realizados no país.

Aos empreendedores reais (e não de palco), persistentes, buscadores e realizadores.

Aos menos privilegiados, quando o assunto se refere a tributos, taxas de juros e burocracias.

Aos protagonistas corajosos e até insanos, que, mesmo sem apoio algum, contra tudo e contra todos, persistem e concretizam sonhos, e que, mesmo diante de todos os obstáculos, trabalham arduamente e ainda encontram oportunidades mundo afora, exportando os produtos nacionais.

Aos verdadeiros HERÓIS da nação brasileira.

AGRADECIMENTOS

Este é o melhor momento na escrita de um livro. É a hora de externar a minha gratidão a todos que colaboraram com ideias, críticas, correções e incentivos. Cada um me motivou, de alguma forma, a tornar este projeto realidade.

Agradeço ao G.A.D.U., que é Deus.

A todos os clientes que depositaram em mim e em minha equipe a confiança na prestação dos nossos serviços, e a todos os "nãos", erros, sucessos e fracassos vivenciados ao longo da minha carreira. Foi por meio deles que tive a oportunidade de aprender.

Aos meus sócios, Paulo Henrique, Thiago Burbela e Everton Leite.

À minha equipe direta, Ronald Muto, Manuela Liz, Leonardo Fontoura, Andressa Delgado, assim como a todo o time do Grupo Casco.

Aos intelectuais Carlos André Corrêa e Ana Paula Costa.

Ao prefacista e amigo Lenísio Navarro Carrion.

Ao Ricardo Jordão, criador do Epicentro e do Rainmaker.

Aos meus irmãos e pais, Fernando Fontes, Kleiton Fontes, Maria José e Cariolando Fontes.

Aos meus *brothers* do MBA de Gestão Estratégica de Empresas, do ISAE/FGV.

Aos meus amigos, Erick Castro, Ricardo Boni, Guilherme Bressan, Eduardo Lima, Dr. Rafael Canzan, Tiago Venâncio, Victor Pacheco, Tiago Kaniak, Rodrigo Marques, Patrick Lupion, Luiz

Pepino, Gerson dos Santos, Demetrius Kovalechucki, Giuliano Alcântara, Edinho Barbosa, Dr. Glênio Albuquerque, Nilton Gasparato, Diego Huck, Walter Kucarz, Wilson Perussolo, Jonas Inglat, Eros Machado e Carlos Desidério.

Aos parceiros LTA Consultoria, Multilog, Boreal Cargo, Falcon Logística, SVS Log, Guelcos, Terminal Porto Seguro, T&F Consult, Expresso 3300, entre outros.

Aos meus irmãos da A.R.L.S. Cavaleiros de Salomão e aos companheiros e companheiras do Rotary Club de Curitiba Cristo Rei.

À equipe da Editora Labrador, sobretudo Stephanie Winkler, Erika Nakahata, Pamela Oliveira, Rosângela Silva e Daniel Pinsky.

Aos meus sogros, Genny e Bemvindo Nogacz.

E, especialmente, à minha esposa, Francine, por toda a paciência e compreensão na vida e pelo apoio incondicional durante os doze meses dedicados à escrita deste livro.

PREFÁCIO

No longínquo ano de 1971, o governo brasileiro criou o *slogan* "Exportar é o que importa". Época do regime militar, o país se voltava às exportações como um meio para o seu crescimento econômico, buscando nas vendas ao exterior a alavancagem para o nosso desenvolvimento.

Embora parecesse um trocadilho, pois a palavra "importar", aqui, tinha o significado de "ser importante, necessário para o país", e não sua tradução primeira, que é "o ato de importar, introduzir mercadorias e bens no mercado interno de um país", nessa época era quase um crime realizar a importação de mercadorias.

Tanto assim que, em 30 de novembro de 1972, foi publicado o decreto-lei n. 1.248 (que vigora até hoje), que estabelecia a figura das "Comerciais Exportadoras", empresas que poderiam ser criadas com a finalidade exclusiva de adquirir mercadorias no mercado interno para exportar. Isso visava facilitar a vida de todos aqueles que, embora tivessem produtos que pudessem ser exportados, não conheciam ou se interessavam pelo processo burocrático que era exportar.

Todos os países têm interesse em exportar, pois, sejam mercadorias ou bens e serviços, eles constituem uma fonte primária para o recebimento de divisas. A exportação de mercadorias por um país, e sua consequente importação por outro, é um processo dinâmico que, na atualidade, com nosso mercado globalizado, se constitui num verdadeiro moto-contínuo, com o intenso volume de tráfego aéreo, marítimo e de caminhões por todos os continentes.

A premissa da troca de mercadorias entre países se fundamenta em vender aos outros o que de melhor se produz e adquirir dos outros aquilo que não se consegue produzir ou que se produz, porém, com qualidade muito inferior. Também é objetivo de quem deseja exportar fazer a oferta de produtos com inovações tecnológicas que outros povos ainda não dispõem em seus respectivos mercados. Ou seja: o empresário exportador não se conformará em ter apenas o mercado interno de seu país como única opção para sua atuação e buscará os consumidores em outros países.

Para essa busca de novos clientes, que podem estar localizados em qualquer parte de nosso planeta, torna-se fundamental uma assessoria de quem conhece o mercado global. E assim, com a grande abertura ao comércio exterior, implementada a partir de 1990 com o ex-presidente Fernando Collor de Mello, surgiu a necessidade de profissionais que dominassem essa área complexa e ao mesmo tão emocionante de se trabalhar: importação e exportação.

Nesse contexto, enquanto eu era auditor fiscal da Receita Federal, conheci e, por diversas vezes, atendi pessoalmente o Kleber Fontes, autor deste livro. O contato profissional, como se diz, em lados opostos do balcão, mas sempre com respeito e atenção mútuas, fez com que surgisse uma amizade que perdura até os dias de hoje.

Kleber, um profissional dedicado, sempre muito atuante e curioso para com o mercado global, teve ainda muito jovem o privilégio de morar por alguns anos na Nova Zelândia. E essa oportunidade de vivenciar usos e costumes de outros povos despertou nele o desejo de usar todo esse conhecimento em uma profissão que o mantivesse conectado ao mundo todo. Nessa área em que se especializou, o Comércio Exterior, ele demonstra profundo conhecimento adquirido ao longo de mais de treze anos de carreira.

Não bastasse atender muito bem e com todo profissionalismo aos seus clientes e parceiros, em 2017, Kleber resolveu dividir todos os seus conhecimentos e nos brindou com *7 passos para o sucesso na importação*, um manual com dicas e rotinas para ser um importador bem-sucedido.

Agora, é a vez de lançar *Exportação descomplicada*, outro manual em que ele mostra e explica todos os cuidados e rotinas que um empresário deve conhecer e seguir para se tornar um exportador bem-sucedido. Embora os países desejem exportar cada vez mais e procurem simplificar suas rotinas burocráticas, elas estão sempre presentes, ainda mais em nosso Brasil. Assim, neste manual de fácil leitura e compreensão, Kleber procura, numa linguagem muito clara e sem tecnicismo, explicar todas as etapas e situações que podem surgir para o ato de exportar.

Ao evitar os tropeços que podem aparecer para quem desconhece as normas de exportação, o empresário leitor deste livro ganhará precioso tempo e, com certeza, diminuirá e otimizará seus custos, o que em nossos dias é fator fundamental para ter um produto com preço competitivo.

Se a capacidade de exportação é a competência de adaptar o seu produto ao mercado global para atender ao que o mundo deseja, com certeza o conhecimento e a vivência de um profissional, traduzidos nas páginas deste livro, farão com que esse objetivo seja muito mais facilmente alcançado.

Afinal, decorridos quase cinquenta anos daquele distante 1971, exportar ainda é muito importante para o desenvolvimento e o sucesso comercial de nosso país. E isso importa demais!

Lenísio Navarro Carrion
Auditor fiscal da Receita Federal aposentado

1º CAPÍTULO

"OS PAÍSES MAIS DESENVOLVIDOS SÃO OS MAIORES EXPORTADORES"

INTRODUÇÃO

Nós, empresários brasileiros, definitivamente não podemos olhar somente para o mercado interno. Diante da crise econômica vivida pelos brasileiros na última década, evidenciou-se que diversificar o mercado-alvo é primordial para o sucesso de qualquer negócio – já não se pode depender somente do consumidor nacional. Além disso, temos o exemplo da Itália, que comprova que é possível ter pequenas e médias empresas preponderantemente exportadoras. Ainda que se pense que a Itália é um país pequeno, se comparado ao Brasil, e que a sua única saída econômica é e foi a exportação, isso não exclui nosso país dessa prática comercial. Os países mais desenvolvidos – e também continentais –, como Estados Unidos, Canadá, China, entre outros, são os maiores exportadores.

Em discussão com diversos empresários, sempre ouço que, por sermos um país continental, acabamos nos acomodando diante de um mercado interno tão grande. Porém, posso afirmar que se tornar um exportador é uma questão de mentalidade, sem relação direta com aspectos populacionais ou territoriais do país.

Temos compradores em potencial olhando para nós nos países vizinhos. Se realizarmos um cálculo rápido, considerando desde a Guiana Francesa até o Uruguai (do extremo norte ao sul das fronteiras brasileiras), excluindo a Venezuela, diante do atual dilema econômico, há mais de 200 milhões de habitantes além do nosso país. É outro Brasil aqui ao lado, que deve ser olhado com maior atenção e foco. Para se ter uma ideia, 80% dos produtos encontrados na Bolívia são adquiridos de empresas brasileiras. Embora nem todos esses produtos sejam produzidos no Brasil, a exportação gera divisas e movimenta a nossa economia.

Atualmente, é mais vantajoso para os países circunvizinhos adquirir mercadorias brasileiras. Além da proximidade, usufruindo dos custos de logística e de tempo de trânsito, os nossos produtos são amparados por Certificado de Origem do Mercosul e da Aladi (resultante de Acordos de Complementação Econômica), que concedem redução do imposto de importação ao importador estrangeiro dessas regiões. Essas vantagens tornam o Brasil mais competitivo que os países asiáticos e europeus.

O Brasil é um país caracterizado pela diversidade. Cada estado possui sua cultura, sotaques variados, diferentes religiões e seus próprios hábitos e modos de fazer negócios.

Diante da imensidão territorial e do tamanho da população, quando realizamos o comércio interestadual, já estamos, teoricamente, exportando. Isso porque, antes de vender, é necessário averiguar pontos em comum no trâmite comercial e logístico, da mesma forma que ocorre na venda para outro país. Além de conhecer os aspectos culturais, é preciso negociar a forma de pagamento, verificar a legislação e as opções de logística (aérea, marítima ou rodoviária), bem como o prazo de fabricação, a embalagem, as condições de venda (FOB ou CIF), entre outros aspectos.

A tecnologia contribuiu para facilitar o processo de exportação. Com a implantação do Portal Único Siscomex e seus módulos avançados, como a Declaração Única de Exportação

(DU-E), o Controle de Carga e Trânsito (CCT), entre outros, é possível afirmar que exportar, atualmente, está mais fácil que vender para outro estado! Além destas, há outras vantagens em exportar, que serão apresentadas ao longo deste manual.

Imagine você exportando, recebendo em moeda estrangeira, com suspensão e imunidade de diversos tributos federais e estaduais, diversificando seu mercado, reduzindo a ociosidade na produção, melhorando a qualidade do seu produto, tendo acesso a linhas de crédito com juros mais baixos, fortalecendo sua marca perante os mercados interno, externo e concorrentes.

Se você se vê usufruindo dessa oportunidade de atender ao lucrativo mercado internacional, que tal se unir a esse ecossistema de negócios, trabalhando para tornar o Brasil um país muito mais exportador?

Este livro trata, especialmente, de exportação de produtos, ou seja, da venda de mercadorias para outros países, fronteiriços e/ou longínquos. Foi escrito com foco no pequeno e médio empresário brasileiro, que não tem tempo a perder diante de tantas atividades rotineiras e que deseja se tornar exportador ou melhorar suas operações. O conteúdo é apresentado de maneira didática, assertiva e prática, com um linguajar do cotidiano, sem firulas e palavras difíceis.

INTERNACIONALIZAÇÃO DAS PEQUENAS E MÉDIAS EMPRESAS (PMES)

O plano de internacionalização de empresa visa identificar a real viabilidade de exportar seu produto. Particularmente, trata-se de um termo um pouco complexo para os empresários das pequenas e médias empresas brasileiras, e tudo o que soa complexo assusta, porém, como sempre digo, é melhor errar no papel do que atuando no mercado. Dessa forma, internacionalizar uma empresa nada mais é do que entender o mercado externo, preparando e adequando importantes aspectos internamente, sejam eles administrativos, do produto, da logística, para que, assim, à medida que os pedidos de compra do exterior comecem a se concretizar, você possa proporcionar um atendimento ágil ao seu cliente importador ou parceiro, ganhando velocidade na produção e entrega dos pedidos.

A intenção desse plano não é criar uma burocracia, mas, sim, profissionalizar o seu projeto de exportação, dando uma visão ampla desse novo negócio ao gestor e garantindo a segurança nas tomadas de decisões. A maioria das pequenas e médias empresas brasileiras começa a exportar sem ter cumprido com essa análise prévia. De qualquer forma, a profissionalização sempre será a melhor solução, pois, caso seja identificada a inviabilidade em exportar o seu produto por algum motivo específico, não serão investidos dinheiro, tempo e energia em um projeto inviável.

Recomendo, caso tenha alguma dificuldade em elaborar esse plano internamente, que essa atividade seja delegada a um consultor especialista em exportação, que poderá transmitir toda a sua experiência e *know-how* à sua empresa.

Ao longo dos próximos capítulos, entenderemos com maior profundidade quais são esses aspectos relevantes.

POR QUE EXPORTAR?

A atividade de exportação existe há centenas de anos. Alguns países, os quais denominamos desenvolvidos, têm essa atividade como premissa desde a fundação de suas empresas. No Brasil, em decorrência do baixo investimento nessa área por parte dos Governos federal e estadual e por meio das instituições designadas para esse fim, atrelado às dificuldades de empreender, criou-se uma mentalidade nos empresários brasileiros de que exportar é complicado, por isso, cabe a nós, profissionais atuantes nessa área, desmitificar esse fato e provar que exportar é, sim, uma atividade viável e fácil de ser realizada desde que assistida por profissionais competentes. Se temos profissionais brasileiros extremamente comprometidos e bem-sucedidos atuando em diversas empresas mundo afora, entende-se que temos mão de obra qualificada o suficiente para fazer acontecer internamente, evitando, dessa forma, que mentes brilhantes saiam do Brasil para buscar oportunidades em outros países e manifestem seus talentos nas empresas brasileiras.

Partindo do pressuposto de que você é fabricante do seu produto no Brasil, e há produtos similares ou substitutos sendo importados por concorrentes brasileiros, que recolhem impostos como o Imposto de Importação, IPI, PIS, COFINS-importação, ICMS e demais despesas inerentes à logística aduaneira e que em seguida são revendidos no mercado interno, competindo de igual para igual com você, enquanto você na exportação terá o incentivo da dedução de diversos impostos como os já mencionados anteriormente (a depender do regime de tributação), além de converter o valor de venda de reais para a moeda estrangeira, como USD e EUR, considere que seu produto é competitivo também em nível internacional.

Sendo mais direto, pontuei alguns motivos, explicando por que as empresas exportam:

Aproveitar a oportunidade

Muitas empresas brasileiras começam a exportar de maneira passiva, ou seja, o comprador estrangeiro é quem compra da empresa brasileira, não é o exportador quem vende. O que eu quero dizer é que a oportunidade veio até ele, seja participando de alguma feira de negócios, seja por meio do website ou de alguma indicação. Por outro lado, cada país possui suas riquezas naturais, seja na área florestal, na mineração, na agropecuária etc. No Brasil, com a abundância que temos nessas áreas, as oportunidades acabam sendo geradas involuntariamente. Mesmo que a intenção da empresa brasileira não seja de exportar, diante desse fato, acabam exportando.

Evitar sazonalidade do mercado interno
Da mesma forma, sabemos que o Brasil é conhecido pela abundância na agricultura e que a sazonalidade afeta consideravelmente a venda de *commodities* no mercado interno durante a entressafra, dessa forma, uma alternativa ao agricultor brasileiro é estocar essas *commodities* para exportar a outros países durante esse período. Essa alternativa maximiza as vendas durante o ano inteiro, propiciando ao exportador, assim, um fluxo de caixa equilibrado. Isso se aplica também a outros segmentos, como o da moda, o das datas comemorativas, como Páscoa, Natal, entre outros.

Melhorar a imagem da empresa
Quando se começa a exportar, entende-se que a empresa exportadora está atendendo ao alto nível de exigências de padrões internacionais; dessa forma, tanto o mercado interno quanto o externo entendem que a exportadora possui mais credibilidade que as não exportadoras, fortalecendo, assim, a sua marca e, consequentemente, a imagem da empresa como um todo.

Reduzir a ociosidade na produção
A ociosidade na produção corrói a competitividade de qualquer empresa, seja pela baixa demanda, seja pela manutenção preventiva ou corretiva dos maquinários, seja pela falta de insumos ou até mesmo de mão de obra. Essa capacidade não utilizada representa um elevado custo para a empresa, e esse custo fixo pode ser mais bem diluído quando sua produção está a todo vapor e a exportação vem para suprir essa ociosidade, atingindo, assim, um preço mais competitivo.

Aproveitar os benefícios tributários
As exportações de produtos não sofrem incidência de impostos como no mercado interno. No caso de exportadoras enquadra-

das no Lucro Presumido ou Real, o IPI e o ICMS são imunes, PIS e COFINS, isentos, tributando, assim, somente o IRPJ e o CSLL, o que torna o preço do produto brasileiro na exportação competitivo em âmbito global. Já nas empresas enquadradas no Simples Nacional, que representam a maioria das pequenas empresas brasileiras, a tributação na exportação usufrui de uma redução de impostos em comparação com a tributação de quando se vende no mercado brasileiro.

Diversificar o mercado
Uma maneira de reduzir os riscos comerciais e econômicos da sua operação é diversificar os mercados em que você atua, e ampliar sua carteira de clientes em outros países é a melhor forma para evitar crises, eventuais alterações na política econômica e a dependência e concentração de atividades em um único mercado. Nos últimos anos, houve um crescimento considerável do PIB dos países vizinhos, os quais dependem dos produtos brasileiros.

Obter linhas de crédito
A atividade de exportar propicia oportunidades únicas, como a de obter linhas de crédito específicas com taxas de juros internacionais em situações de pagamento à vista ou até mesmo a prazo. É o caso das linhas ACC, ACE e Proex que, antes mesmo de iniciar a produção do que será exportado, o exportador poderá ter acesso aos recursos financeiros para adquirir matéria-prima, embalagens etc. para a exportação que será realizada *a posteriori*. Essa alternativa dá fôlego financeiro ao exportador de maneira sustentável, tornando-o mais competitivo. Aprofundaremos mais sobre essas linhas de crédito ao longo deste livro.

Possuir capacidade inovadora
As empresas exportadoras ou não, em um passado recente, tinham seus valores de mercado atrelados ao número de clientes ativos em

suas carteiras, tempo de operação desde a fundação, quantidade de ativos imobilizados e intangíveis. Atualmente, esses valores mudaram completamente, sendo substituídos e medidos pela sua capacidade de inovação, ou seja, como fazer mais, melhor, em menos tempo, com o menor custo possível, de maneira sustentável financeira e ecologicamente, utilizando tecnologias nunca antes vistas e de olho na tendência do mercado global.

Melhorar a qualidade

O mercado externo exige das empresas exportadoras brasileiras e estrangeiras técnicas de produção avançadas, controles de qualidade extremamente rigorosos e, em algumas situações, certificações internacionais. Diante dessa exigência, o nível de qualidade obtido na sua linha de produtos poderá ser aplicado automaticamente aos produtos destinados também ao mercado interno.

Aumentar o ciclo de vida do produto

Um produto da sua linha que está se tornando obsoleto no mercado interno pode ser novidade em outros mercados que disponibilizam menos recursos e investimentos em tecnologia. Os produtos mais sofisticados demoram para chegar nesses lugares, e, por esse motivo, muitos produtos fabricados pelas indústrias brasileiras podem se encaixar perfeitamente nesses países, como os latino-americanos e os africanos. Para exemplificar, cito os armários de aço usados para arquivar documentos: sua utilização está sendo reduzida devido ao aumento do uso de documentos digitalizados, porém nos países vizinhos, como Bolívia e Paraguai, esses armários são muito úteis, visto que ambos os países ainda utilizam papel em demasia.

Conforme exposto, diversos motivos levam as empresas a exportar os seus produtos, como determinação, criatividade e empreendedorismo. Pode ter certeza de que as vantagens são muito maiores e que valerá a pena no médio e longo prazo. Ouço isso com frequência de muitos clientes.

Assim como qualquer outra atividade dentro de uma empresa, o início da operação de exportação é mais trabalhoso até que se torne um ciclo e, com o tempo, uma rotina. Devemos sair da zona de conforto e pensar globalmente, a barreira da distância não existe mais, a cada dia temos uma logística mais ágil e competitiva, resta apenas quebrar essas barreiras em nossa mente, muitas vezes colocadas por nós mesmos ou pela dependência que criamos de que tudo tem que partir do Estado! Querer é poder e poder é fazer! Vamos colocar em prática tudo aquilo que está ao nosso alcance?

O QUE EXPORTAR?

Entende-se que uma empresa que tenha a intenção de exportar ou percebeu essa oportunidade diante de alguma demanda dispõe de um produto ou uma linha de produtos que podem ser exportados direta ou indiretamente. Muitas vezes, trata-se de produtos consolidados no mercado doméstico, com isso, cabe ao exportador (vendedor) entender as exigências do importador (comprador), assim como do próprio país importador (destino).

De fato, é necessário estudar o mercado consumidor e, junto do comprador estrangeiro, analisar a necessidade ou não de adequação do produto, seja aplicação, tamanho, peso, composição, voltagem e frequência, caso seja algum produto eletroeletrônico, cor, acabamento, design, embalagem principal, embalagem para transporte e armazenamento, assim como o cumprimento de certas certificações, caso seja exigido.

Na outra ponta, há vários fatores que levam o importador estrangeiro a adquirir os produtos produzidos ou comercializados pelas empresas brasileiras. Os principais são:

Revenda

Empresas comerciais podem importar e revender o seu produto acabado ou importar sua matéria-prima e revendê-la diretamente a distribuidores ou indústrias, que a utilizarão para produzir o produto final em seus países.

Atacado

No caso de exportação para distribuidores, é necessário muitas vezes exportar em grande escala para que os custos logísticos tanto do exportador quanto do importador sejam distribuídos por uma quantidade maior, proporcionando, assim, preço competitivo e, por consequência, alto giro de vendas a ambos.

Varejo

Existe a possibilidade de exportar em menor escala diretamente ao comerciante varejista, para uma loja virtual ou física; nesse caso, a logística será primordial para viabilizar esse tipo de operação.

Uso próprio

Indústrias podem importar seus produtos para uso e consumo próprios. Nesse caso, trata-se de exportação de matéria-prima, de máquinas e equipamentos ou partes e peças. Na exportação de insumos, é possível ter acesso a compradores estrangeiros que querem fugir do monopólio de determinados produtos fabricados em seus países.

Matéria-prima

É possível exportar tanto o insumo principal quanto os intermediários, como material secundário, complementar ou até mesmo embalagens e, dessa forma, o importador poderá transformá-lo no produto acabado, pronto para ser revendido no país de destino.

Máquinas e equipamentos

Apesar de o Brasil ser um país preponderantemente exportador de *commodities*, matéria-prima, entre outros, temos diversas indústrias brasileiras e multinacionais, seja de pequeno, médio ou grande porte, competentes o suficiente e com tecnologia de ponta, fabricando máquinas e equipamentos reconhecidos mundialmente e agregando qualidade, produção em escala e menor uso de mão de obra na produção de produtos no exterior.

As destinações das exportações são as mais diversas possíveis. Para o seu cliente importador, importar, muitas vezes, é um diferencial, que o torna mais competitivo diante dos concorrentes. Entender como seu cliente atuará no mercado-alvo é a melhor maneira de entender como auxiliá-lo diante das diversas destinações apresentadas.

OEM e ODM

Há dois termos técnicos muito utilizados por compradores e importadores de partes e peças dos ramos automotivo, industrial, entre outros. Dessa forma, é importante entender o conceito de cada um deles para evitar divergências durante a negociação de suas exportações:

Original Equipment Manufacturer (OEM)

Produtos OEM (*Original Equipment Manufacturer*) são basicamente produzidos pelo fabricante original do produto, equipamento ou peça, que detém uma marca consolidada em âmbito nacional, e em alguns casos global, com qualidade garantida, mas que são produzidos sem marca a pedido de um terceiro, que, nesse caso, é o comprador importador. Dessa forma, o mesmo produto é comercializado para outros países sem marca, com um valor venal bem abaixo do padrão de quando comercializado com a marca do fabricante, pois em muitas situações é a marca que tem o valor agregado.

Original Design Manufacturer (ODM)

Produtos ODM (*Original Design Manufacturer*) são basicamente produzidos por um fabricante de determinado produto, equipamento ou peça, que detém o *know-how* de fabricação, porém não a marca e o design próprios. Dessa forma, a marca ou o design utilizados são sempre de um terceiro, na maioria das vezes, do comprador importador; ou seja, trata-se de uma terceirização da fabricação.

Qualidade

Qualidade nada mais é do que seguir determinados processos de fabricação ou comercialização para cumprir com as expectativas do cliente, ou seja, alcançar a excelência daquele produto que está sendo comercializado.

Dizem que a qualidade, atualmente, é uma premissa que nem deve ser discutida na negociação entre comprador e fornecedor, porém, devo discordar dessa afirmação, diante de tantas negligências por parte de fabricantes que deixam muito a desejar quando não são supervisionados. Existe todo um ecossistema para garantir qualidade aos produtos vendidos mundo afora, seja por meio de certificações internacionais, como a ISO (*International Organization for Standardization*) e o Certificado Europeu (CE), seja por meio de algumas situações, como a necessidade de auditorias e inspeções de qualidade realizadas antes, durante e após a produção por companhias como SGS, TUV, AmSpecs, CCIC do Brasil, entre outras.

Diante do alto nível de exigências cada vez mais rigorosas por parte dos compradores, isto é, dos mercados consumidores, interno ou externo, criou-se um selo de qualidade chamado "tipo exportação", ou seja, quando se fala desse selo, entende-se que aquele lote de produto em si passou por uma seleção, uma triagem, uma inspeção rigorosa por meio de um sistema de gestão de qualidade para garantir ausência de defeitos, durabilidade, cumprimento das normas comerciais e legais normalmente preestabelecidas verbalmente ou em contrato com o cliente e, em alguns casos, com os órgãos do país importador, quando há um órgão técnico como o Inmetro, no Brasil.

Se o mercado brasileiro é competitivo e exigente, imagine os mercados norte-americano, europeu, latino-americano ou asiático. Com certeza são mercados muito mais severos e ávidos por produtos excepcionais. Mas não se assuste! Como exemplo, podem-se mencionar os produtos chineses, que são comercializados mundialmente, embora muitos deles possuam qualidade duvidosa. Devemos, sim, ser extremamente profissionais, cumprindo com o nível de qualidade prometida, porém não podemos nos subestimar de que podemos alcançar esse nível de qualidade exigido internacionalmente. Ressalto que o Brasil é um país exportador com produtos de altíssima qualidade que atende aos mercados mais competitivos do mundo com produtos top de linha e de alto valor agregado.

O investimento nesse departamento deve ser contínuo, seja na melhoria da matéria-prima para produção, embalagem, tecnologia e pesquisa e desenvolvimento (P&D).

Embalagem, etiquetas e rótulos

A embalagem é o invólucro que serve para acondicionar e apresentar um produto, devendo ainda conter, preservar, exibir, refinar, ter múltiplas utilidades e, principalmente, identificar o que vem dentro. Muitas vezes, a embalagem é fundamental para o sucesso do produto, pois é por meio dela que o consumidor tem acesso às informações do conteúdo. Por esse motivo, o design é de extrema relevância. Além da embalagem do produto, existe aquela que o acondiciona externamente.

Para determinar a melhor embalagem externa, o exportador ou fabricante analisa a constituição física do produto (sólido, líquido, gasoso ou a granel), o modo de transporte, o peso do volume a ser embalado, a sensibilidade e as advertências sobre empilhamentos, riscos no manuseio e cumprimento de exigências internacionais.

Os tipos de embalagem externa mais utilizados na exportação são: caixas de papelão (caixa-mãe), plástico, metal, madeira ou isopor;

sacos plásticos ou de aniagem; envelopes; pacotes; canudos; engradados de madeira; contêineres plásticos; baús de metal ou de madeira, entre outros. A variedade é imensa e sempre dizemos que não há ninguém melhor que o exportador ou fabricante e o importador para definir a opção mais adequada ao produto.

A tecnologia e o design contidos em uma embalagem podem ser de extrema sofisticação. Em alguns casos, é possível otimizar o acondicionamento dos produtos dentro da caixa de papelão, acomodando mais produtos dentro da embalagem do que o habitual. Assim, com uma maior quantidade inserida por pacote – e, consequentemente, por contêiner –, obteve-se uma redução do custo por item exportado.

Caso, durante a negociação com o importador, seja solicitada uma embalagem diferenciada e o exportador perceba que ela não é tão reforçada quanto deveria ser, sugira que seja utilizado um reforço. Mesmo que tenha custo adicional para ser repassado ao importador, sempre dizemos que, se a mercadoria sai da origem "bem embalada", ela chegará ao destino "bem embalada". Geralmente, as embalagens dos produtos exportados da Europa são bem reforçadas, porém as de origem chinesa e indiana muitas vezes deixam a desejar; já as japonesas são exemplos de embalagens, com tudo muito bem pensado e desenvolvido, dessa forma, devemos aprender com os europeus e japoneses como fabricar embalagens com qualidade "tipo exportação". Como diz o ditado, "nada se cria, tudo se copia", no bom sentido da palavra. No modal aéreo, devemos considerar que sua mercadoria passará por conexões de aviões nos principais aeroportos até chegar ao destino final e que será manuseada não só por pessoas, mas também por empilhadeiras e esteiras. No marítimo, dentro do contêiner, com o movimento do navio, a mercadoria poderá sofrer avarias; dessa forma, quanto mais reforçada a embalagem, melhor.

Quando se trata de frete internacional marítimo na modalidade FCL (*full container load*, ou contêiner cheio), sabemos que somente a mercadoria de um exportador estará dentro do contêiner, mas, em casos de frete internacional marítimo LCL (*less container load*, ou carga consolidada), não sabemos quais outros produtos estarão dentro do mesmo contêiner, dessa forma, reforçar a embalagem, principalmente nessa modalidade, é de extrema importância. A mesma situação se aplica ao modal rodoviário, diante do manuseio de pessoas e, sobretudo, da precariedade das estradas brasileiras e de países do Mercosul.

Todos esses fatores devem ser levados em consideração, discutidos com o importador, e todos os cuidados precisam ser seguidos à risca, inclusive na estufagem do contêiner ou no processo de fechamento das embalagens na linha de produção. Em muitos embarques marítimos FCL, os importadores preferem que o exportador estufe o contêiner sem a utilização de páletes de plástico ou madeira, pois dessa forma caberão mais caixas. Porém, vale ressaltar que o "manuseio manual" no Brasil e no exterior, em caso de necessidade de desova para alguma conferência das aduanas, será bem mais caro que o "manuseio mecânico", com a utilização de empilhadeiras e paleteiras.

Quando se trata de caixas de papelão, é comum o importador exigir do exportador que elas já venham com a marca ou logo da empresa importadora. É preciso ressaltar que algumas informações são de extrema importância para a conferência física aduaneira, seja pela aduana brasileira ou estrangeira, em caso de canal vermelho no despacho de exportação, assim como para a identificação de cada produto após a chegada da mercadoria no armazém do importador. A seguir, listamos algumas informações a serem mencionadas na caixa de papelão:

- Numeração: numeração da quantidade de volumes de acordo com o romaneio de carga (*packing list*).
- Código do item: número que será mencionado na fatura comercial e no romaneio de carga.

- Quantidade de itens: quantidade de itens contidos naquele volume.
- Nome ou marca do importador ou até mesmo do exportador.
- País de fabricação: informação do país de fabricação. Ex.: "*Made in Brazil*".

Nesse quesito, aconselho que, caso o importador estrangeiro tenha interesse em utilizar a mesma embalagem para revender o produto no mercado interno do país destinatário, solicite ao exportador brasileiro que não mencione no pacote o nome da empresa exportadora. Dessa maneira, o importador ficará seguro de que o cliente final ou concorrentes não conseguirão encontrar o seu fornecedor brasileiro. Já presenciei casos em que, por falta de aviso, as caixas foram com o nome do exportador e, na chegada da mercadoria ao destinatário, o importador teve de trocar todas as caixas, gerando custos desnecessários, pois ele não queria que cliente final ou concorrente tivessem acesso ao seu fornecedor.

Em caso de o produto ser exportado a granel, seja em sacos de 25 kg, tambores ou *big bags*, é primordial que na etiqueta ou embalagem estejam os dados necessários para identificar o produto, a origem da fabricação e as indicações sobre a melhor maneira de manusear aquele produto e embalagem.

Código de barras

O Regulamento Aduaneiro Brasileiro não exige que o código de barras seja impresso na embalagem do produto a ser exportado. Porém, esse é um ponto importante que, acredito, merece um esclarecimento, pois há muitas dúvidas por parte dos exportadores brasileiros que trabalham, principalmente, com produtos prontos para revenda. Considerando que o importador está importando o produto acabado e deseja realizar o mínimo de manuseio possível após a chegada da mercadoria, que qualquer tipo de manuseio adicional é considerado custo, os códigos de barras podem ser impressos diretamente na embalagem do produto a ser exportado do Brasil ou inseridos por meio de etiquetas. Para que o exportador possa produzir essa impressão de maneira desejada, é imprescindível que o importador envie esses códigos ao exportador; caso ele não os tenha, o exportador poderá adquiri-los no mercado interno.

O código de barras (*barcode*), também conhecido como EAN (*European Article Number*), é uma representação gráfica de dados numéricos ou alfanuméricos composta por doze ou treze dígitos na parte inferior. Cada número possui um significado, e a leitura dos dados é realizada por meio de um leitor que efetiva automaticamente o lançamento da informação no *software* de gestão empresarial (ERP) utilizado para dar entrada ou saída no estoque. Atualmente, a maioria dos produtos revendidos em lojas em âmbito mundial possui o código de barras devidamente inserido na etiqueta, em bens alimentícios, naturais, roupas e vestuários, sapatos etc. O uso do código de barras, além de facilitar o controle de estoque, evita duplicidade do mesmo item, fraudes, bem como facilita a localização do produto no estoque ou na prateleira, diminui os riscos de erros de compra e venda e reduz custos com mão de obra. A praticidade é imensa, facilitando a tomada de decisões por parte do gestor exportador e/ou importador.

Mas como obter esses códigos de barras? Tratando-se de âmbito global e visando resguardar-se de que nenhuma outra empresa tenha o mesmo código, o exportador no Brasil ou importador em seu próprio país deverá obter uma licença (cobrada por anuidade) junto a uma empresa reguladora. No Brasil, temos a GS1 Brasil – Associação Brasileira de Automação, entidade responsável por oferecer esse tipo de solução. A GS1 faz a certificação do código de barras, e a aquisição é bem simples, pelo próprio site da certificadora (www.gs1br.org). Após essa aquisição, o exportador poderá gerar os códigos de barras facilmente, com segurança e estabilidade para o seu negócio. O passo a passo de como gerá-lo também é fornecido pela GS1.

Registro de marcas
O registro de marcas é, sem dúvida, um ponto muito importante a ser levado em consideração antes, durante e após a realização das exportações, sendo necessário realizar uma verdadeira gestão nas marcas. Alguns países possuem restrições rígidas quanto ao uso de marcas sem autorização por parte do detentor. Considerando que a sua marca ou a de um terceiro, quando se tratar de uma marca do comprador, é um ativo intangível, ou seja, possui um valor intrínseco e de mercado, e para proteção tanto do exportador quanto do importador comprador, é necessário saber se, de fato, ela pode ou não ser comercializada no país destinatário.

Para registrar tanto o logo da empresa quanto a própria marca do produto a ser exportado, ou até mesmo daquele vendido no mercado interno no Brasil, é necessário que empresas brasileiras ou estrangeiras aqui constituídas efetuem esse registro junto ao Instituto Nacional da Propriedade Industrial (INPI), uma autarquia federal vinculada ao Ministério da Economia. Recentemente, o Brasil aderiu ao Protocolo de Madrid por meio do decreto n. 10.033/2019.

O Protocolo de Madrid funciona como um administrador de registros internacional de marcas, que, por meio de um único protocolo e depósito, proporciona proteção em 120 países. Dessa forma, aos países signatários, quando uma marca é registrada, ela poderá ser protegida automaticamente nesses países, desde que se faça essa opção no ato do depósito.

Previamente a essa adesão, quando havia interesse de registrar uma marca por decisão do exportador brasileiro, era necessário ter um procurador residente no país destinatário, onde o pedido de registro deveria ser efetuado.

Quando se tratar de marca de terceiros, ou seja, do comprador, deve ser solicitada a ele a comprovação desse registro de marcas no país de destino para que confirme essa informação de maneira documental, resguardando o exportador de qualquer problema jurídico, de contrafação ou uso indevido da marca no exterior.

Dessa forma, antes de definir a marca a ser exportada, sugiro que seja consultado um especialista em registro de marcas para que ele possa realizar uma pesquisa e averiguar se já não há registro junto ao INPI em nome de outra pessoa física ou jurídica, além de também verificar nos países em que o exportador deseja comercializar seus produtos com sua marca própria. Dessa forma, tempo e dinheiro serão economizados.

Patentes

Caso o produto a ser exportado tenha depósito de patente no Brasil junto ao INPI, é importante que haja um contrato com o importador autorizando a livre comercialização desse produto em seu país. O Brasil, desde 1978, é signatário do "Tratado de Cooperação em Matéria de Patentes", também conhecido como PCT (*Patent Cooperation Treaty*), o qual facilita os trâmites para proteção de propriedade intelectual e transferência de tecnologia na esfera internacional por meio de sistemas unificados. Atualmente, o PCT conta com 153 países signatários. O especialista em registro de marcas e patentes também poderá assessorá-lo nesse quesito, caso seja necessário.

2º CAPÍTULO
"DIVERSIFICAR O SEU MERCADO-ALVO É PRIMORDIAL PARA O SEU NEGÓCIO"

PARA ONDE EXPORTAR?

Como já comentado, as primeiras exportações realizadas por pequenas e médias empresas brasileiras são de demandas que nós chamamos de passivas, ou seja, o comprador buscou o exportador brasileiro e, após tratativas comerciais, a venda ocorre de fato. Esse tipo de operação é chamado de *spot*, em outras palavras, é uma venda casual, sem periodicidade predefinida. Essa faísca desperta o empreendedor brasileiro que, após essa experiência, começa a prestar mais atenção naquele mercado e a aprender as exigências daquele país e dos consumidores. Com o tempo, começa a introduzir seus produtos de maneira mais direcionada para aquele mercado, tendo mais segurança para investimentos futuros. Atualmente, assim que é definido o mercado-alvo, as exportações são realizadas sem planejamento prévio, pois essa é uma característica de muitas PMEs brasileiras. Quais PMEs de sucesso você conhece que desde o início de suas atividades detinham um plano de negócios detalhado com estratégias precisas? Poucas, correto? Porém, na qualidade de consultor dessa área, nosso intuito é reverter essa atitude do empreendedor brasileiro, fazendo com que ele adote o caminho inverso, trabalhando de maneira ativa, definindo o mercado e buscando soluções para que negociações aconteçam de maneira frequente e com solidez tanto para quem está vendendo quanto para quem está comprando. Ao longo dos próximos subcapítulos nos aprofundaremos mais sobre esse tema, a fim de que o sucesso na exportação seja garantido.

Limítrofes e próximos

Os países limítrofes ao Brasil, como Uruguai, Argentina, Paraguai, Bolívia, Peru, Colômbia, entre outros, possuem culturas muito similares à brasileira e, ao mesmo tempo, são mercados atingidos por uma logística de fácil acesso, como a rodoviária, o que proporciona agilidade na entrega do pedido.

Defasados tecnologicamente

Os países latinos-americanos, assim como os africanos, têm uma defasagem tecnológica quando comparados ao Brasil. Para solicitar uma certidão de antecedentes criminais no Paraguai e na Bolívia, por exemplo, é necessário comparecer pessoalmente a uma delegacia e aguardar o prazo determinado para emissão do documento, pois o histórico pessoal dos cidadãos desses países ainda se encontra em arquivos físicos. Outro ponto interessante é que muitos dos documentos oficiais emitidos por órgãos públicos ou empresas ainda são impressos em impressoras matriciais ou escritos em máquina de escrever em papel carbonado. Dessa forma, esses países são uma imensa oportunidade para os produtos brasileiros com tecnologias mais avançadas.

Acordos comerciais

Os acordos comerciais, também conhecidos como acordos econômicos, são firmados entre países de forma bilateral, multilateral ou entre blocos com o intuito de reduzir ou isentar tarifas de importação, gerando mais negócios entre essas nações. Dessa forma, o comprador localizado na Argentina, por exemplo, que é um país pertencente ao Mercosul, assim como o Brasil, dará prioridade à compra de produtos fabricados no Brasil, em vez de em algum outro país que não conceda nenhum tipo de benefício.

Mercosul

O Mercado Comum do Sul (Mercosul) é um bloco econômico criado a partir do Tratado de Assunção pelos países-membros Argentina, Brasil, Paraguai e Uruguai com a finalidade comercial de dinamizar a economia local, movimentando entre si mercadorias, pessoas, força de trabalho e capitais. Por meio de uma zona de livre comércio e do uso de uma Tarifa Externa Comum (TEC), caracteriza assim uma união aduaneira, que contempla a eliminação de tarifas alfandegárias e de restrição não tarifárias e a circulação de mercadorias entre os países-membros e associados, desde que produzidas nesses e mediante comprovação com a emissão e apresentação do Certificado de Origem.

Após a assinatura do Protocolo de Ouro Preto, tornou-se personalidade jurídica de direito internacional com competência para negociar, em nome próprio, acordos com nações, grupos e organismos internacionais. Outros países como Chile e Bolívia adquiriram o estatuto de associados por meio de assinatura prévia de Acordos de Complementação Econômica (ACE), instrumentos bilaterais firmados pelo Mercosul.

Entre esses acordos firmados temos os Tratados de Livre Comércio (TLC) com Israel e Egito. Dessa forma, quando algum produto produzido majoritariamente nesses países (membros e associados) é comercializado, concede-se a redução do imposto de importação, dando, assim, prioridade aos importadores e exportadores no comércio entre essas nações.

Associação Latino-Americana de Integração (Aladi)
A Associação Latino-Americana de Integração (Aladi) é uma organização intergovernamental criada a partir do Tratado de Montevidéu, integrada por treze países-membros, sendo os do Mercosul (Argentina, Brasil, Paraguai e Uruguai) e os da Comunidade Andina (Bolívia, Colômbia, Equador, Peru e Venezuela), além de Chile, Cuba, México e Panamá. Trata-se do maior grupo da América Latina de integração, composto por 520 milhões de habitantes. Por se tratar de um bloco econômico, visa ao desenvolvimento comercial e social da região de forma harmônica e sustentável, além da eliminação dos obstáculos ao comércio recíproco entre os países-membros.

Diversos acordos de complementação econômica (ACE) específicos foram firmados, possibilitando, assim, a redução do imposto de importação ao importador comprador, desde que os produtos sejam produzidos nesses países e mediante comprovação, com a emissão e apresentação do Certificado de Origem, além de constar na relação de produtos que gozam de preferências tarifárias.

União Europeia (EU)
A União Europeia (UE) é o maior bloco econômico e político do mundo. Criada a partir do Tratado de Maastricht, tem como objetivo assegurar a livre circulação de pessoas, bens, serviços e capitais, além de manter políticas comuns de comércio, agricultura e desenvolvimento regional por meio de uma moeda única, o Euro, e de um Banco Central Europeu. É composta por 27 Estados-membros, com 23 línguas oficiais e mais de 500 milhões de habitantes, correspondendo a 7% da população mundial.

Os Estados-membros são Alemanha, Áustria, Bélgica, Bulgária, Chipre, Croácia, Dinamarca, Eslováquia, Eslovênia, Espanha, Estônia, Finlândia, França, Grécia, Hungria, Irlanda, Itália, Letônia, Lituânia, Luxemburgo, Malta, Países Baixos, Polônia,

Portugal, República Checa, Romênia e Suécia, que usufruem de um mercado comum, com sistema harmonizado aplicado a todos os membros e abolição do controle de passaporte. Alguns países europeus são considerados associados, como Noruega, Islândia, Suíça, entre outros, que participam do mercado único, exceto da união aduaneira.

Há muito pouco tempo, o Reino Unido saiu desse bloco econômico, política essa apelidada de Brexit. Apesar disso, recentemente, o Mercosul assinou acordo comercial com a União Europeia. Para que entre em vigor, levará alguns anos de transição, considerando que há temas complexos, como tarifas alfandegárias, regras sanitárias, propriedade intelectual etc., a serem revisados e chancelados pelos países de ambos os blocos.

Sistema Geral de Preferências (SGP)

O Sistema Geral de Preferências (SGP) foi idealizado no âmbito da Conferência das Nações Unidas para o Comércio e Desenvolvimento (UNCTAD) com o intuito de que países em desenvolvimento, como o Brasil, possam ter acesso aos mercados de países desenvolvidos sem a exigência de reciprocidade. Produtos, originários e de procedência de países beneficiários, recebem isenção ou redução da tarifa alfandegária dos Estados-membros e países outorgantes desse programa, como Austrália, Canadá, Comunidade Econômica da Eurásia (Belarus, Cazaquistão e Rússia), Estados Unidos, Japão, Noruega, Nova Zelândia, Suíça, Turquia e o bloco da União Europeia.

Para se obter o benefício, é necessário cumprir as exigências determinadas:

- O produto deve estar na lista definida pelo SGP.
- A origem do produto deve ser de país beneficiário.
- O transporte desse produto deve ocorrer diretamente do país beneficiário ao país importador.

- O lote exportado deve ser amparado pelo Certificado de Origem Formulário A, para que o importador do país desenvolvido se beneficie de redução tributária.

O Certificado de Origem Formulário A é emitido pela Gerência Regional de Apoio ao Comércio Exterior do Banco do Brasil (Gecex) após apresentação dos documentos previstos em portaria específica e formulário "A" devidamente preenchido. Note que o Banco do Brasil é extremamente rigoroso quanto a informações e documentos a ele fornecidos. Em caso de dúvidas no preenchimento, sugere-se terceirizar essa função ao seu prestador de serviço, seja ele o Despachante Aduaneiro ou a comissária de despachos. Países como Canadá, Estados Unidos e Nova Zelândia dispensam a apresentação do Form A.

A administração do SGP, no Brasil, é exercida pela Subsecretaria de Negociações Internacionais (Seint), antiga Deint, do Ministério da Economia.

Sistema Global de Preferências Comerciais (SGPC)

O Sistema Global de Preferências Comerciais (SGPC) é um acordo internacional firmado também no âmbito da Conferência das Nações Unidas para o Comércio e Desenvolvimento (UNCTAD) com a intenção de fomentar negócios complementares entre os países signatários, da América Latina, África e Ásia, incrementando a economia em benefício do comércio global, tendo, atualmente, 43 países em desenvolvimento, participantes outorgantes: Argélia, Argentina, Bangladesh, Benin, Bolívia, Brasil, Camarões, Chile, Cingapura, Colômbia, Cuba, Coreia do Norte, Coreia do Sul, Equador, Egito, Filipinas, Gana, Guiné, Guiana, Índia, Indonésia, Irã, Iraque, Líbia, Malásia, México, Marrocos, Moçambique, Myanmar, Nicarágua, Nigéria, Paquistão, Paraguai, Peru, Sri Lanka, Sudão, Tailândia, Trinidad e Tobago, Tunísia, Tanzânia, Venezuela, Vietnã e Zimbábue.

Os benefícios são obtidos por meio de margem de preferência percentual, aplicada diretamente sobre a tarifa alfandegária (imposto de importação) pelo país participante, ou seja, país comprador, desde que a mercadoria esteja acompanhada de Certificado de Origem do SGPC emitido pelas Federações das Indústrias dos Estados credenciadas. Para obtenção desse certificado, é necessário cumprir com algumas obrigações:

- O produto deve estar na lista definida pelo SGPC.
- A origem do produto deve ser de país beneficiário exportador.
- O transporte desse produto deve ocorrer diretamente do país beneficiário ao país importador.

As listas de concessões tarifárias outorgadas pelo Brasil estão disponíveis nas Circulares Decex n. 363/1991 e Secex n. 48/1996.

Assim como o SGP, o SGPC é também administrado pela Subsecretaria de Negociações Internacionais (Seint), do Ministério da Economia.

Barreiras técnicas do país comprador

Muitos dos empresários, em nosso primeiro contato, afirmam querer exportar seus produtos para os Estados Unidos da América, o mercado mais competitivo do mundo, que exige diversas certificações em laboratórios (barreiras técnicas) para que seu produto tenha credibilidade o suficiente para ingressar nesse mercado, além de outros atributos culturais, como, por exemplo, ter uma unidade no país, seja um escritório ou centro de distribuição, para que se tenha mais segurança na aquisição de mercadorias brasileiras. Dessa forma, no início das operações de exportação sugiro optar por um país sem essas barreiras técnicas, para que a penetração no mercado seja realizada de maneira mais tranquila.

Por fim, as PMEs brasileiras não precisam se preocupar em fazer essa determinação do país-alvo sozinhas, há diversas consultorias especializadas em estudos de mercado que poderão fornecer essas informações com dados precisos, atualizados e científicos.

3º CAPÍTULO
"CAPACIDADE DE EXPORTAÇÃO É A COMPETÊNCIA DE ADAPTAR O SEU PRODUTO AO MERCADO GLOBAL"

QUANTO EXPORTAR?

Esta é uma pergunta muito relevante e, por incrível que pareça, desconhecida de muitos empresários gestores das PMEs brasileiras quando se fala em capacidade de produção e vendas no mercado interno. Agora imagine mensurar a quantia que poderá ser exportada. Novamente, internacionalizar sua empresa é olhar seu negócio do portão para fora e para dentro, é entender o cenário externo para atendê-lo adequadamente, é estudar seu modelo de negócio, designar melhorias e novos processos, rever conceitos, capacitar profissionais, renegociar com os fornecedores e prestadores de serviços envolvidos nas operações, comunicando a eles que esse projeto de exportação será frutífero para todos os envolvidos na cadeia de produção, para o administrativo e a logística, e, principalmente, fazer com que todos se envolvam de maneira comprometida. Mas, afinal, sua capacidade de produção é a mesma da de exportação?

Capacidade de produção

Capacidade produtiva tem relação direta com a demanda, mesmo porque produzir mais que a demanda significa estoque parado, espaço de armazenagem ocupado gerando despesas (quando se tratar de armazenagem terceirizada) e, consequentemente, muito capital empregado; por outro lado, produzir menos que a demanda significa não atendimento aos seus clientes, perda de vendas, aumento do custo de produção devido à ociosidade e, consequentemente, diminuição da credibilidade da sua marca perante o mercado. Esse quesito diz respeito à quantidade de unidades de produção que sua organização é capaz de industrializar com seus recursos disponíveis, tais como matéria-prima, máquinas e mão de obra produtiva.

Capacidade de exportação

Quanto do produzido pode ser exportado? Toda sua capacidade produtiva? Não é por aí, capacidade de exportação é a competência de adaptar o seu produto e a gestão da empresa às exigências do mercado internacional, é a capacidade de entrega, de adequação comercial, técnica, embalagem do produto, e tudo isso possui vinculação direta com o investimento disponibilizado para esse fim, além de considerar que o mercado doméstico não pode ser de forma alguma preterido.

Pedido mínimo por embarque

Para toda e qualquer movimentação interna dentro de uma empresa, há um custo/hora relacionado ao custo fixo e variável envolvido na operação de produção ou transação de uma maneira geral, dessa forma, é necessário estipular um pedido mínimo por embarque ou até mesmo por venda que seja viável para que o exportador possa atender ao cliente importador e vice-versa. Após definido esse pedido mínimo, essa informação será utilizada na negociação entre as partes. Os chineses cunharam um termo que hoje é difundido em âmbito mundial e utilizado por diversos exportadores, chamado MOQ, que significa *Minimum Order Quantity* (quantidade mínima por pedido), o qual também poderá ser vinculado à condição de venda (*incoterm*) do produto. Por exemplo, caso o importador realize um pedido atendendo exatamente ao seu MOQ, o exportador venderá na condição de venda EXW; caso o pedido seja maior, a condição de venda poderá ser alterada para a condição FOB, e assim sucessivamente.

É importante esclarecer que, além do custo fixo e variável mencionado anteriormente, na exportação há algumas despesas fixas, como honorário do despachante aduaneiro, taxa para recebimento do câmbio cobrado pelo banco ou corretora de câmbio, dependendo do modal, custos com embalagens específicas, despesas administrativas para geração dos documentos de exportação, entre outras.

Pedido máximo por embarque

Tratando-se de PMEs, muitas vezes com limitação de produção em larga escala e capacidade de exportação comprometida, é necessário que se estipule uma quantidade máxima por embarque ou por venda para que o seu cliente importador possa ser atendido satisfatoriamente sem nenhum tipo de imprevisto, seja por falta de transparência na negociação ou de planejamento da exportadora e/ou fabricante, assim, sugiro que seja adequado o pedido máximo considerando a logística internacional. Se o seu produto é majoritariamente exportado por meio do modal marítimo, estipule o pedido máximo por número de contêineres e seu respectivo tamanho. Por exemplo, máximo de até um contêiner de 40´ ou dois contêineres 20' (2x20') por embarque/pedido; no modal rodoviário, duas carretas (FTL[1]); e no modal aéreo, por número de pallets. Justifico o pedido máximo para

---

1. FTL – *full truck load* (caminhão fechado/dedicado)

evitar que sejam solicitados pelo importador pedidos fracionados como o equivalente a um contêiner de 20' e meio, pois em caso de contratação de um contêiner de 40' para a logística desta operação, implicaria na sobra de muito espaço desse contêiner. É importante ressaltar que o despacho aduaneiro é realizado por conhecimento de embarque.

FORMAÇÃO DO PREÇO DE EXPORTAÇÃO

A formação do preço de exportação é um dos pontos principais para que a viabilidade de exportar se concretize de fato e, assim, todos os envolvidos na operação consigam enxergar que exportar não é tão complexo como dizem e que, principalmente, venham a usufruir de todos os benefícios da exportação.

Esse cálculo deve ser elaborado com o auxílio de profissionais competentes e experientes da área de custos, produção, logística, marketing e vendas, podendo ser internos ou até mesmo consultores externos, coletando dados concretos do custo do produto, embalagem e despesas aduaneiras de maneira geral.

Assim, será possível elaborar esse cálculo de forma precisa e, por fim, obter uma tabela de preços escalonada ou não (conforme quantidade), que poderá ser atualizada de acordo com as variáveis envolvidas nessa equação.

A primeira informação para que esse estudo seja realizado é decidir a condição de venda que será negociada com o importador e o modal que será utilizado no transporte internacional, pois, a depender do modal, poderá ser utilizada uma embalagem diferenciada ou mais reforçada que a habitual. Por exemplo, se consideramos o *incoterm* FOB como FCL, devemos obter o valor do produto comercializado no mercado interno, em seguida, extrair desse valor o IPI, o PIS, a Cofins e o ICMS (o IRPJ e a CSLL não devem ser subtraídos – isso se aplica somente a empresas enquadradas no Lucro Presumido ou Real), posteriormente, adicionar o custo bancário para recebimento da remessa do exterior, honorário da assessoria aduaneira, despesa com o certificado de origem, se houver, transporte do fabricante ou exportador até o porto de embarque ou terminal que realizará a estufagem do contêiner, pedágio, seguro do transporte rodoviário (RCTR-C e RFC-DC), despesa com a estufagem do contêiner, apeação (amarração), quando necessário (em caso de utilização de embalagem de madeira, considerar o custo de fumigação), além das taxas de origem que serão cobradas pelo armador ou agente de cargas, tais como capatazia (THC), liberação de BL (BL fee), liberação do contêiner (*container release*), movimentação (*handling*) e lacre do contêiner (*seal*). Essas taxas de origem do frete internacional variam conforme o armador ou agente de cargas contratado pelo importador estrangeiro. Em seguida, adiciona-se a comissão do agente do exterior, caso tenha, inclui-se sua margem de lucro (caso não tenha considerado) e, por fim, converte-se esse valor pela moeda estrangeira (USD/EUR) com que serão negociadas suas operações, para que se chegue ao valor do produto a ser exportado na condição FOB porto de origem.

 É importante ressaltar que a taxa de conversão da moeda estrangeira a ser utilizada deve ser muito menor que a taxa do dia utilizado pelo Banco Central. Por exemplo, se a taxa do dólar americano (USD) está cotada a USD/R$ 3,75, no seu cálculo deve-se considerar a taxa de USD/R$ 3,65. Isso porque no Brasil temos o câmbio flutuante, e o banco ou corretora de câmbio, no momento em que for comprar seu câmbio, estando a ordem de pagamento disponível, ofertarão a compra com uma taxa bem menor que a indexada pelo mercado.

 Por esse motivo, seu preço de exportação, quando disponibilizado ao potencial comprador, deve estar atrelado a um prazo de validade (*expiry date*), pois, caso a negociação não seja fechada antes dessa data, o exportador terá a oportunidade de recalcular o preço de exportação, evitando, assim, prejuízos.

Outro ponto não menos importante é que, diante da burocracia existente na exportação estabelecida pelos órgãos brasileiros, como Receita Federal, Ministério da Agricultura, entre outros, e por depender de diversas variáveis para que o processo flua dentro do esperado, esperamos que todos os profissionais envolvidos tenham comprometimento com o sucesso da operação e com os prazos (*deadlines*) estabelecidos, seja do armador, do agente de cargas, da transportadora, do terminal de cargas, do exportador, do despachante aduaneiro, considerando o exemplo supracitado. Há situações em que, por motivo de *overbooking* do navio ou caso o navio atraque no porto atrasado, tendo que sair no horário predefinido pelo porto, poderá ocorrer a rolagem da reserva (*booking*), em outras palavras, o embarque do seu contêiner ocorrerá no próximo navio dessa mesma companhia marítima, podendo levar de 7 a 14 dias além do esperado. Diante dessa situação, poderá ocorrer a incidência de despesas não previstas, como armazenagem, realocação de contêiner para o próximo navio, *detention*, entre outras, dessa forma, sugere-se que seja adicionada uma margem de segurança mínima, podendo ser fixa ou percentual, para que, diante de um imprevisto como esse, essa margem possa cobrir parte das despesas. Em caso de a operação ocorrer tranquilamente, essa margem poderá ser acumulada para alguma eventualidade futura.

Diversas vezes deparei com situações em que o preço de exportação foi negociado sem parâmetro algum e, quando questionada a condição de venda ao exportador, o silêncio pairou. Dito isso, o que leva a essa situação é a ansiedade do comercial da exportadora de fechar o negócio, seja porque está em uma feira internacional e quer mostrar resultado, seja pelo calor da negociação presencial, devido à pressão do comprador estrangeiro. Muitos compradores têm como hábito prometer que encomendarão quantidades expressivas para que consigam enxergar o seu valor mínimo e, depois, querem que você pratique esse mesmo valor para o seu pedido mínimo.

TEMPO DE PRODUÇÃO E PRAZO DE ENTREGA

O prazo de entrega conhecido, como *delivery time* ou *lead time*, é um dos pontos mais relevantes na tomada de decisão por parte do importador no ato da negociação; por outro lado, é um ponto de preocupação por parte dos fabricantes brasileiros que evitam oferecer prazos longos. É importante esclarecer que esse prazo de entrega é muito relativo. Se depender do comprador, será sempre solicitado o menor prazo possível; da mesma maneira, dependerá da complexidade em fabricar tal produto, da quantidade encomendada, da expectativa do comprador, da cultura por parte do país exportador, assim como da política adotada pela empresa exportadora.

Temos como exemplo a China, que se tornou um país preponderantemente exportador, mas nem por isso reduziu o prazo de entrega, tendo como praxe o tempo de 30 a 45 dias, tratando-se de produção seriada, e de 90 a 120 dias, no caso de produtos de maior complexidade, não seriados, fabricados sob demanda. Cabe ressaltar que este é um prazo de mercado, considerando que os fabricantes chineses não trabalham com estoque e utilizam o pagamento do sinal da mercadoria para adquirir a matéria-prima para produzir o lote a ser exportado.

O tempo de produção não pode ser confundido com o prazo de entrega. Dependendo do tamanho do pedido, a produção é realizada em dois, três dias, porém isso não significa que o pedido será adiantado, tendo em vista que é seguido um cronograma para que a produção seja realizada adequadamente.

Também devemos ressaltar que o prazo de entrega terá início dependendo da modalidade de pagamento negociado entre as partes:

- Pagamento antecipado – a partir da entrada dos recursos financeiros na conta do exportador.
- Pagamento à vista ou a prazo – a partir da formalização do pedido por parte do importador junto ao exportador.

Como há diversas modalidades de pagamento (carta de crédito, financiamentos etc.), sugiro que esse ponto seja esclarecido com o comprador durante a negociação a fim de evitar divergências e ruído na comunicação; da mesma forma, quando se tratar de carta de crédito, será estipulado o prazo de entrega que deverá ser cumprido pelo exportador, evitando, assim, discrepância. Como diz o ditado, o combinado não sai caro.

4º CAPÍTULO
"EU VOU LHE MOSTRAR COMO EXPORTAR"

COMO EXPORTAR?

Esta é a primeira pergunta que eu ouço dos empresários brasileiros, principalmente das pequenas e médias empresas, que, diante de tantos desafios enfrentados em seu dia a dia no mercado interno, com orçamento para investimento limitado, gestão de pessoas complexa, entre outros pontos, subestimam o potencial das suas empresas e dos seus produtos e deixam de acreditar. O brasileiro tem como características a inteligência, a criatividade, a resiliência, a persistência, a flexibilidade, além da força de vontade, fatores que nos diferenciam de outras nacionalidades, e isso tem que ser externado em resultados, produzindo e exportando cada dia mais e, consequentemente, trazendo receita nova para as nossas empresas e recursos monetários ao nosso país.

A meu ver, esse tema é a parte principal deste manual, que relata o caminho de como exportar, como abrir mercado, indicando quem poderá lhe auxiliar de maneira ativa, indo para cima do país-alvo, com atitude empreendedora e bem assessorado por profissionais e prestadores de serviços capacitados, que de fato saibam o que estão fazendo e aonde querem chegar.

Há diversos caminhos, e explanarei cada um deles – pode ser que todos lhe atendam ou que você se familiarize com alguns deles, mas todos têm o intuito de lhe auxiliar a exportar direta ou indiretamente.

DESENVOLVIMENTO DE CLIENTES NO EXTERIOR

Por conta da modernidade e da tecnologia disponível, desenvolver um comprador estrangeiro em diferentes países não é uma tarefa tão árdua como antigamente. Como qualquer outra atividade, exige foco, planejamento, estratégia e atitude para alcançar bons clientes e criar relacionamentos duradouros, ingressando com segurança nesse ramo de exportação. Falar inglês, espanhol ou qualquer outra língua não é mais um bicho de sete cabeças. Hoje é possível contratar intérpretes e utilizar diversas ferramentas on-line. Existem várias outras formas de conseguir desenvolver compradores no exterior, através da internet, de feiras internacionais, *tradings*, entre outras, conforme veremos a seguir.

Uso da internet

Atualmente, o principal canal de desenvolvimento de compradores é a internet. Por meio dela, é possível ter acesso a diversos websites e portais nacionais e estrangeiros especializados em reunir empresas importadoras de diversos países, possibilitando a busca por região, segmento e produto que deseja exportar. Cito como exemplos websites e ferramentas importantes para o dia a dia:

- TradeMap – permite ter acesso às estatísticas mundiais de comércio exterior, entre outros dados.
- ComexStat – permite ter acesso às estatísticas das exportações brasileiras.
- Vitrine do Exportador, Invest & Export Brasil e B2Brazil – permitem cadastrar sua linha de produtos e, assim, gerar negócios.

Também é possível encontrar importadores, *tradings* ou distribuidores, realizar contato por meio do próprio portal e, a partir disso, conseguir trocar e-mails, WhatsApp, Skype, ligações telefônicas etc. Alguns desses sites trazem referências comerciais e realizam avaliações dos exportadores e importadores cadastrados, dando mais segurança ao vendedor e vice-versa.

Feiras internacionais no Brasil

As feiras internacionais realizadas anualmente no Brasil contam com a presença crescente de empresários e investidores estrangeiros que já compram daqui ou desejam fazer negócios. Eles utilizam esses eventos como um termômetro para avaliar a reação do público à sua linha de produtos, para conhecer os lançamentos e ter acesso a mais indústrias e exportadores do segmento em que atuam. A participação de sua empresa nessas feiras pode render bons negócios, além do primeiro contato com futuros parceiros.

Feiras internacionais no exterior

Participar de feiras no exterior é outra opção para desenvolver clientes e parceiros. A Apex-Brasil[2] subsidia participações de empresas brasileiras em diversas feiras internacionais. Para que haja êxito nessa empreitada, sugiro que seja feito um bom planejamento prévio, diante do investimento a ser realizado na viagem, na estrutura do seu estande, na logística de todo o material, na forma como sua linha de produtos será exposta, além do material de marketing bilíngue, como folders, catálogos, lista de preços e cartão de visita. Para isso, é oportuno entrar no website da Expo e analisar se o perfil está dentro da sua expectativa, averiguar a quantidade de expositores que estarão presentes, verificar o porte de cada empresa, se o perfil de visitantes dos anos anteriores é o público que você realmente busca e, principalmente,

---

2. Apex-Brasil – Agência Brasileira de Promoção de Exportações e Investimentos.

se, de fato, é nesse país-alvo que você deseja atuar. A empresa organizadora do evento possui relatórios e diversas informações que poderão facilitar sua tomada de decisão. Recomendo entrar no website dos demais expositores que podem ser concorrentes ou até mesmo clientes que mais chamarem a atenção e realizar uma pesquisa do catálogo eletrônico disponível, entendendo um pouco mais sobre eles. Caso algum deles chame mais atenção, entre em contato previamente, por meio de uma ligação telefônica ou por e-mail, para iniciar uma aproximação e organizar uma agenda para uma reunião, assim, a visita e a participação na feira serão bem mais produtivas.

Durante a participação na feira, sempre aconselhamos realizar algumas perguntas pertinentes para poder obter mais informações sobre os potenciais clientes e registrá-las em um CRM (*Customer Relationship Management*) ou formulário. Boas perguntas ajudam a identificar compradores em potencial, condições de negócio favoráveis, otimizando, assim, o seu tempo e o de sua equipe.

Você, com o conhecimento que possui no seu segmento, pode unir forças com o *know-how* do comprador em potencial para juntos agirem estrategicamente no mercado promissor em questão.

Um ponto de extrema relevância é o pós-feira. Passada a euforia da viagem e retornando à rotina, aconselho entrar em contato por e-mail com os diversos contatos realizados, agradecendo a atenção dispensada pelos executivos conhecidos no evento. O envio de algo sempre fica pendente em uma conversa ou negociação, então envie as informações solicitadas para que o contato permaneça.

Realize essa conexão após uma semana de retorno; não demore muito, pois o comprador estará lhe avaliando e verificando a sua maneira de trabalhar. Se você prometeu algo, cumpra! Caso receba algum e-mail dos compradores, responda-os prontamente.

Infelizmente, nós, brasileiros, temos uma fama muito ruim no exterior: dizem que somos muitos emocionais no primeiro contato, mas acabamos esfriando e, por fim, não respondemos a e-mails, perdendo o relacionamento ao longo do tempo. Se alguém lhe enviou um e-mail, lembre-se, essa pessoa deseja uma resposta.

Missões empresariais

Outra oportunidade de contatar e conhecer compradores estrangeiros é por meio das missões empresariais que visitam o Brasil. As associações comerciais, entidades de classe e Câmaras de Comércio realizam rodadas de negócios, reunindo potenciais compradores internacionais e empresas brasileiras, para que mais negociações daquele segmento específico ou para um determinado país sejam executadas.

Câmaras de Comércio

As Câmaras de Comércio são instituições internacionais não governamentais. Apesar de não serem órgãos governamentais, representam, em sua maioria, dois países (ex.: Brasil-China, Brasil-EUA, Brasil-Argentina) com o intuito de desenvolver atividades para estimular o comércio entre ambos. Essas câmaras são importantes aliados do empresariado interessado em exportar, sendo possível, por meio dela, obter informações detalhadas de compradores, legislação do mercado-alvo, aprender sobre a cultura do país, além de terem um estreito relacionamento com os governos respectivos. No Brasil, temos Câmaras de Comércio bem consolidadas e sérias no que fazem, como a Taiwan Trade Center (Taitra), a Câmara de Comércio Brasil-EUA (Amcham), a Câmara de Comércio e Indústria Brasil-Alemanha (AHK), a Câmara de Comércio Árabe Brasileira, entre outras.

Assessorias especializadas

O desenvolvimento de clientes estrangeiros pode ser terceirizado, contratando assessorias especializadas nesse tipo de serviço. São empresas brasileiras que realizam a pesquisa dos países em que desejam atuar, conforme diretrizes designadas por quem as contratou. Fazem contato com diversos importadores estrangeiros em potencial, filtram os melhores e, em seguida, apresentam as alternativas ao exportador. Muitas dessas empresas têm parceiros no exterior que podem visitar os compradores em potencial, caso necessário.

Tradings estrangeiras no Brasil

As *tradings* são empresas estrangeiras com escritórios espalhados pelo Brasil, nas principais capitais, em sua maioria. Possuem uma carteira de fornecedores auditados de diversos segmentos, como os ramos alimentício, de curtume, de nutrição animal, de papel e celulose, de saneantes, têxtil, de tintas, de tratamento de água, de vela, de vidros, de cerâmica etc.

Por serem fornecedores auditados, garantem a qualidade do produto ao comprador. Em muitos casos, concedem prazo de pagamento a esses importadores, pois, como possuem escritórios no Brasil e em diversos países, realizam uma análise de crédito detalhada e têm mais segurança na concessão desse crédito.

Essas *tradings* são especializadas em desenvolvimento de fornecedores e compradores, são o elo de conexão, a importação é realizada diretamente pelo próprio importador estrangeiro e o pagamento da mercadoria é efetuado por meio do fechamento de câmbio em moeda estrangeira, que realizará o pagamento da mercadoria em moeda local ao real fabricante brasileiro, nesse caso, a *trading* tem o papel de exportadora.

Traders

Há também a possibilidade de contratar agentes no exterior, conhecidos como *traders*. São especialistas de determinados segmentos e são, majoritariamente, pessoas físicas, que conhecem muito do mercado em que residem e possuem relacionamento com diversos compradores, podendo designar ou direcionar o melhor produto desejado pelo importador. Geralmente, cobram honorários por meio de comissionamento. O valor negociado por esse serviço deve ser discriminado na Declaração Única de Exportação (DU-E).

O exportador pode realizar o fechamento de câmbio da comissão ao agente, conforme acordado, ou esse valor poderá ser retido pelo banco no recebimento do câmbio. Tudo depende da negociação entre exportador e *trader*, devendo sempre ser observada a legislação vigente.

Brokers

Os corretores de *commodities*, também conhecidos como *brokers*, atuam como especialistas de determinados setores, como o de grãos (soja, café, milho, trigo e subprodutos), fertilizantes, mineração etc. Trata-se de um facilitador de transações atuando diretamente nas Bolsas de Mercadorias, que recebe corretagem sobre os valores transacionados.

Agentes de compras

Os agentes de compras são profissionais residentes no Brasil, que possuem uma carteira de clientes consolidada no exterior, desenvolvida ao longo de suas carreiras em determinado segmento. O ramo de madeira utiliza-se muito desse tipo de agente, dessa forma, ele faz a negociação com o produtor brasileiro, o conecta ao comprador estrangeiro e, assim, a operação é realizada de maneira segura para ambas as partes. A exportação é realizada diretamente entre o produtor e o importador. O comissionamento dessas transações pode ser pago tanto pelo exportador quanto pelo importador, e isso deve ser negociado previamente, a fim de evitar divergências comerciais.

5º CAPÍTULO

"INTERNACIONALIZAR O SEU NEGÓCIO É UM CAMINHO SEM VOLTA"

COMO INGRESSAR NO MERCADO-ALVO

Conforme mencionado anteriormente, há diversas maneiras de desenvolver clientes no exterior, seja por meio do uso da internet, feiras internacionais no Brasil e no exterior, missões empresariais, câmaras de comércio, assessorias especializadas, *tradings* estrangeiras no Brasil, comercial exportadoras, *traders*, *brokers* etc., porém, depois de serem estabelecidos contatos comerciais e desenvolvidos relacionamentos com esses compradores, há a possibilidade de simplesmente vender a eles, seja por meio de um contrato com compras frequentes ou de operações *spot*. Quais são as outras maneiras de ingressar nesses países de forma direta e indireta, além das mencionadas, e qual o perfil de cada opção? Isso é o que veremos a seguir:

Importador-distribuidor

Trata-se de importador de produtos estrangeiros focado na distribuição por atacado. São, em sua maioria, empresas consolidadas com pontos de venda e carteira de clientes bem estabelecida, com capital monetário e humano robusto. Muitas delas representam diversas marcas estrangeiras em seus países e estão acostumadas com o processo de ingresso e promoção de novas marcas no mercado-alvo e, principalmente, com o processo logístico de importação.

Subsidiária comercial do fabricante-exportador

Trata-se de uma nova empresa criada no país destinatário pelo próprio exportador brasileiro com investimento em estrutura própria e equipe comercial para ingressar nesse mercado com suas políticas comercial e administrativa, gerar e gerenciar uma carteira de clientes sem a necessidade de depender de empresas terceiras no sentido comercial.

Comerciantes varejistas

Trata-se de grandes redes de varejo estabelecidas em seus países que possuem departamento próprio de importação e, dessa forma, atendem às suas próprias lojas por meio da distribuição interna. Essa é uma tendência global que teve início por meio do setor supermercadista.

Joint venture

Trata-se da associação de duas ou mais empresas com o mesmo objetivo, de iniciar e realizar atividades comerciais em comum, geralmente a primeira sendo uma empresa com amplo *know-how* do mercado-alvo e a segunda com o fornecimento do produto estrangeiro e/ou injeção de capital estrangeiro. Dessa forma, partilham da gestão do negócio, lucros, riscos e prejuízos.

Indústria

Trata-se de indústrias com atuação global, ou seja, multinacionais que adquirem matéria-prima estrangeira de fornecedores homologados por suas matrizes, por atender diversas exigências, certificações e requisitos técnicos. Dessa forma, uma vez que o seu produto seja aceito nessas multinacionais, você poderá vender a todas as subsidiárias controlados por elas.

Há outras maneiras de ingressar no país desejado, diante da dinâmica comercial que o mundo vem passando e do surgimento de novos modelos de negócios, cabendo ao gestor interessado em exportar ou aos seus consultores a realização de diversos estudos para que a efetivação da exportação seja realizada no menor tempo possível, sempre prezando pela sustentabilidade do negócio.

MARKETING OFF-LINE E DIGITAL

Muitos empresários consideram o marketing como custo e, por experiência própria, afirmo que o marketing, seja ele off-line ou digital, é um investimento necessário diante de um público cada vez mais exigente e conectado. É rotineiro, por parte do comprador, entrar no website do exportador, baixar catálogos (quando disponíveis), buscar por perfis da empresa e demais profissionais em redes sociais. Quando constatado que se trata de uma empresa com boa imagem, que se preocupa com a comunicação, que sabe dialogar com o mercado, contatará ou receberá para uma reunião, pois entende que pode ser uma oportunidade.

Atualmente, diante dos desafios encontrados na contratação de profissionais para trabalhar internamente nesse departamento, essa atividade pode ser terceirizada. Há diversas empresas especializadas nessa área que oferecem serviços de qualidade e que podem direcionar e assessorar o exportador, para que, assim, alcance os resultados almejados.

Redes sociais

As redes sociais já fazem parte do cotidiano das pessoas, e para as empresas não é diferente, é por meio delas que as marcas se comunicam com seus clientes e, em alguns casos, fãs. Hoje em dia, é muito comum adquirirmos algum produto e começarmos a seguir a marca nas redes sociais, para nos mantermos informados sobre as novidades, os lançamentos de novos produtos e as ações que a marca vem tomando perante o mercado e a sociedade. No mundo empresarial, estar disponível no LinkedIn e no Facebook é básico, e, dependendo do mercado-alvo, o Instagram também é uma ótima ferramenta. O exportador poderá criar campanhas patrocinadas nas mídias sociais estabelecendo o perfil do seu *prospect*, como idade, gênero, localização, entre outros, atingindo, assim, mais pessoas e, por consequência, atraindo possíveis clientes para conhecer a sua marca e empresa.

Também é possível se comunicar com o seu público de maneira privada pelos aplicativos de mensagens, esclarecendo dúvidas e direcionando-o para o caminho desejado.

Website

Com o advento da tecnologia *mobile* e o aumento de usuários na internet, mundialmente falando, tornou-se um hábito realizar buscas pelo Google quando se está buscando algum fornecedor, determinado produto ou serviço.

Ocorre que muitas empresas ainda não usufruem dessa ferramenta, subestimando o poder de estar acessível para o mundo. A partir do momento que a empresa possui um registro de endereço eletrônico (www) e um website no ar, ela se torna visível, abrindo um leque de oportunidades, como uma vitrine virtual, e, por meio das ferramentas de buscas, poderá ser encontrada por compradores de locais e países diferentes. Dessa forma, é de extrema relevância que a exportadora tenha um website bem apresentável, com conteúdo sempre atualizado, de linguagem fácil, com informações relevantes sobre a empresa, produtos, fotografias da estrutura da empresa, projetos sociais, mercados de atuação, catálogos em PDF disponíveis, *newsletter*, contatos e breve currículo da equipe comercial e diretoria. Um website bem desenvolvido, seja nas linguagens HTML, WordPress, entre outras, indexará facilmente sua empresa em qualquer busca pela internet.

Há ferramentas do próprio navegador, como o Google Chrome, que, de acordo com a localização do usuário, traduz o seu website para a língua estrangeira desejada, porém é importante que as páginas mais importantes também estejam disponíveis nas línguas inglesa e espanhola.

A imagem da empresa está atrelada aos detalhes; o comprador quer ter segurança nas suas aquisições e suporte, quando necessário. Quando ele perceber que sua empresa é séria e idônea, com certeza realizará um contato para obter maiores detalhes, e é aí que o comercial entrará em ação.

Catálogos

O catálogo é uma das principais fontes de informações utilizadas por compradores do mundo todo, pois ajuda na tomada de decisão. Seja catálogo digital, baixado do seu website, ou físico, recebido em alguma feira, missão empresarial ou rodada de negócios ou até mesmo despachado via *courier* para o endereço do potencial comprador. Nele deverá constar o histórico da empresa exportadora, o portfólio com os principais projetos desenvolvidos, mencionando, em alguns casos, clientes, ramos de atuação, descrições técnicas e comercial bilíngue de cada modelo de produto acompanhado de fotos profissionais em diferentes ângulos, destinação/utilização, observações, entre outras informações pertinentes. Sempre uso como exemplo os catálogos dos fabricantes italianos, que são ricos em dados técnicos, detalhados com fotos profissionais. Tudo isso corrobora com uma boa imagem da empresa exportadora agregando mais pontos positivos na tomada de decisão do comprador.

Tabela de preços

A tabela de preços, também conhecida como lista de preços ou *pricelist*, é o instrumento que consolida praticamente todas as informações de maneira didática acerca das condições comerciais dos produtos que serão negociados para exportação, facilitando, assim, a negociação internacional entre as partes. De posse desse documento, o importador terá acesso às informações necessárias para que as estude e de fato verifique a real viabilidade de comprar ou não. É essencial que essa lista esteja em língua estrangeira, essencialmente em inglês e espanhol, podendo ser disponibilizada em outra língua, caso seja necessário.

É primordial ao exportador que, antes de fechar os valores de exportação em moeda estrangeira (USD/EUR), entenda qual mercado estará atendendo e qual canal de distribuição será utilizado por parte do comprador estrangeiro.

Sugiro que seja confeccionada em papel timbrado da exportadora, contendo:

- Código do produto/item/modelo (de acordo com o catálogo).
- Descrição técnica e comercial do produto e marca.
- Quantidade do pedido mínimo (MOQ).
- Unidade de comercialização (caixa/unidade/kit).
- Valor unitário (*unit value/cost*).
- Moeda (*currency*).
- Classificação fiscal (NCM).
- Condição de venda (*incoterm*) e local. Ex.: FOB Santos, Exw CIC, Curitiba.
- Quantidade por caixa mãe/pálete, tamanho da embalagem em centímetros e peso bruto.
- Validade da tabela de preços.

Nas observações, deve-se informar: prazo médio de produção ou entrega de acordo com a condição de venda, modalidade de pagamento (antecipado, à vista, a prazo, se aceita carta de crédito, entre outros), quem é o responsável pela taxa cobrada pelo banco intermediário (SHA/OUR), prazo de garantia do produto, se os produtos estarão amparados por Certificado de Origem, se o custo da embalagem está incluso e se é possível negociar embalagem específica, portos, aeroportos, fronteiras mais próximos, se é possível negociar preços melhores de acordo com a quantidade, entre outras informações que julgar relevantes. A tabela poderá ser elaborada de acordo com o mercado potencial, por exemplo: ter uma tabela para o Mercosul em espanhol e considerar que, além da agilidade na logística, o comprador dará prioridade na compra diante do benefício do Mercosul, da Aladi ou de qualquer outro acordo comercial vigente; para o mercado do Oriente Médio, providenciar uma tabela em inglês e entender que os compradores dessa região têm por cultura solicitar descontos antes de bater o martelo.

Essa tabela deverá ser fornecida ao importador em formato PDF ou Excel, mas eu, particularmente, prefiro que seja enviado em ambas as extensões, considerando que o cliente poderá utilizar o Excel para realizar alguns cálculos e o PDF, por ser um documento fixo, não pode ser alterado, evitando, assim, alterações por parte do comprador e divergências na negociação.

Quanto mais detalhada essa tabela de preços, menos dúvidas surgirão e maior fluidez terá a sua negociação.

Com todo esse preparo gráfico, apresentação da sua marca e empresa, além da boa imagem e organização que será transmitida ao comprador, isso dará velocidade às suas negociações. É muito comum deparar com um exportador despreparado e, cada vez que solicitada uma tabela de preços a ele, levar dias para dar retorno ao cliente, pois não tem um padrão definido de atuação.

É a partir dela que o importador providenciará o pedido de compra (PO) para que o exportador, posteriormente, emita a fatura proforma consolidando todos os detalhes negociados.

QUANDO EXPORTAR?

Não há um consenso sobre o momento certo para exportar. Essa atividade é atemporal, pois, conforme comentado neste manual, muitas empresas tornam-se exportadoras de forma passiva. Entende-se que, para exportar, é importante que seu negócio esteja consolidado no mercado brasileiro, de modo que possa atender ao mercado externo de maneira planejada, estratégica e profissional. O mercado externo não aceita amadorismo.

Há novos modelos de negócios que, desde a sua concepção, consideram a atividade de exportação, direcionando, assim, suas atividades econômicas para esse fim. Um projeto de exportação bem alinhado e engajado por todos os envolvidos levará pelo menos de 3 a 12 meses para começar a dar resultados concretos, ou seja, não se pode esperar que a crise econômica no Brasil se agrave para começar a pensar em exportar, é necessário que se tenha tempo suficiente para trabalhar adequadamente.

RELACIONAMENTOS INTERPESSOAIS

Com a globalização e o advento da tecnologia, acreditávamos que em algum momento o relacionamento interpessoal seria substituído pela máquina e deixaríamos de ser importantes, principalmente, no mundo corporativo. Porém, essa crença caiu por terra quando analisadas estatísticas de negociações por meio de pessoas e computadores, e o resultado do ser humano foi muito superior. Dessa forma, constatamos que nada substitui a arte do relacionamento interpessoal, o cara a cara, a abordagem (*approach*), o contato pessoal. Por meio da empatia, seja pessoalmente, por e-mail, Skype, Zoom ou WhatsApp, a conexão criada entre os indivíduos é o que fortalece os negócios no mundo todo.

A maioria das transações comerciais ocorre por meio do relacionamento entre pessoas, mesmo que sua formalização seja feita por troca de mensagens *a posteriori*. Isso não deixa de ser diferente entre exportador e importador, e é possível executar muitos tipos de negociação dessa forma, conforme veremos a seguir.

Negociação entre exportador e importador

Negociar é uma ação diária e inevitável em nossas vidas. O objetivo é sempre alcançar a harmonia entre as partes, em vez do enfrentamento. Hoje em dia, o tipo de negociação entre vendedor e comprador é o de "ganha-ganha", em que ambas as partes se satisfazem com o resultado alcançado, gerando parcerias duradouras, ótimos negócios e relacionamentos.

A negociação internacional é muito mais do que simplesmente fazer negócios. É socializar, conhecer, entender e buscar conhecimentos e pontos mútuos entre culturas. Na exportação isso não é diferente. Um dos pilares mais importantes na gestão de custos é a negociação, que, sendo bem executada e definida, dará origem às oportunidades da exportação. Para isso, é aconselhável haver o domínio de técnicas de negociação e que sejam conhecidos os fatores regionais e culturais do país com quem você irá negociar ou já negocia.

Negociando por e-mail

Uma das ferramentas mais utilizadas na negociação, principalmente na negociação internacional, é a troca de e-mails. Por mais que você tenha conhecido o comprador pessoalmente, os próximos contatos serão basicamente por mensagens eletrônicas ou telefone, e os idiomas mais utilizados são o inglês e o espanhol. Sabemos que, muitas vezes, o receptor não os tem como língua materna, criando a necessidade de uma comunicação clara, com linguagem simples e acessível. É importante verificar se o receptor está entendendo o que o vendedor quer dizer;

caso perceba que não, explique de outra maneira e questione-o quanto à compreensão.

É importante tomar muito cuidado com a escrita dos e-mails. Como um e-mail não demonstra emoção, ser muito direto pode soar mal para o destinatário. Antes de fazer o envio, leia, releia e se coloque no papel do receptor para verificar se a sua mensagem está compreensível. Atualmente, os e-mails podem ser utilizados como documentos, então os mais relevantes podem ser salvos dentro de alguma pasta para possibilitar o acesso quando necessário.

Sempre dizemos aos clientes exportadores para pensarem na brincadeira do telefone sem fio. Imagine que um e-mail muito superficial e sem clareza foi redigido e recebido pelo gerente de vendas com quem o importador vem negociando. Nesse e-mail, estava a formalização do pedido de compra, porém alguns pontos importantes não foram estabelecidos e ficaram pendentes. Da mesma maneira que o gerente de vendas o recebeu, ele será enviado ao gerente de produção, que fará o cronograma do processo e seguirá as diretrizes estabelecidas na mensagem. Assim, se o e-mail não esclareceu bem o que foi solicitado, a chance de erro na produção será enorme, gerando prejuízos tanto ao fornecedor quanto ao comprador.

Algumas dicas para redigir um e-mail completo:

- Informe no espaço "Assunto" o número de referência ou pedido que está sendo negociado.
- Limite-o a apenas um assunto.
- Comece cumprimentando o receptor.
- Faça uma introdução informando o seu objetivo.
- Estabeleça as diretrizes que o receptor deverá seguir quando se tratar de um pedido de venda ou compra ou de algo que precisa ser esclarecido.

- Finalize com uma saudação, dizendo que está à disposição para qualquer explicação e que aguarda retorno e/ou confirmação de recebimento da mensagem.
- Leia e releia o e-mail, verificando se está compreensível.
- Realize o envio (caso queira, selecione a opção no seu gerenciador de e-mail para confirmar a entrega ao receptor).

Esse roteiro parece ser algo básico e deveria ser seguido por todos os negociadores, porém é utilizado por poucos. Muitas vezes, os e-mails enviados só são analisados após algum desentendimento, para detectar onde ocorreu o erro ou falta de clareza na comunicação. Dessa forma, devemos utilizar esse roteiro para que tenhamos êxito e sucesso em nossas negociações.

Negociando pessoalmente

Geralmente, a negociação pessoal é praticada nos primeiros contatos realizados com o comprador, em feiras no Brasil, no exterior, em visitas técnicas, em reuniões para tratar de vendas, em renovações de contratos, entre outras ocasiões. Grande parte das negociações é efetuada por e-mail, porém é na negociação pessoal que se cria um relacionamento e conexão com o comprador.

Cada país possui uma cultura diferente, desde a vestimenta até a forma de tratamento. Dessa forma, planejar-se para uma negociação presencial em outro país é muito importante para evitar o choque cultural.

Também é relevante conhecer o ambiente político e econômico em que o comprador se encontra, para que as metas estabelecidas sejam alcançadas. Cito a seguir alguns fatores a serem planejados previamente e executados durante a reunião de negociação:

- Presentes – para quebrar o gelo, leve uma lembrança do Brasil ou da exportadora, algo básico, mas que agrade a todas as culturas.

- Apresentação – cartões de visitas (de preferência bilíngues) e, se possível, apresentação e portfólio da empresa em inglês e/ou espanhol (a depender do país).
- Ritmo da negociação – alguns países levam em consideração toda a formalidade, tornando a negociação lenta, outros preferem ir direto ao assunto.
- Almoços e jantares – caso não tenha conhecimento dos hábitos do país, siga os colegas que estão à mesa.
- Pontualidade – sempre chegue alguns minutos antes ou no horário, nunca se atrase. Países latinos-americanos têm mais flexibilidade quanto a atrasos, mas ser pontual demonstra respeito e interesse pelo negócio.
- Emocional – mantenha o controle sobre as emoções, domine a ansiedade e seja paciente.
- Gestos e linguagem corporal – faça contato visual adequado quando se dirigirem a você e se levante ao ser apresentado a alguém.
- Vestimenta – esteja sempre bem vestido e com a higiene pessoal em dia.
- Tradutor/intérprete – caso esteja com algum intérprete, sempre direcione seu olhar para quem você realmente está se dirigindo enquanto fala, para que o receptor tenha conhecimento de que a tradução simultânea é para ele.

O ditado que diz que "a primeira impressão é a que fica" não deixa de ser verdadeiro na negociação internacional. Deixando o comprador com uma boa impressão sobre o profissional e a empresa, meio caminho da negociação estará avançado e será uma questão de poucos ajustes para o negócio acontecer.

As chances de êxito em desenvolver bons clientes e construir relacionamentos sólidos e duradouros negociando pessoalmente é muito grande. Ligações telefônicas e e-mails não substituem o contato físico com o potencial comprador. Cada movimento gera um resultado, e negociar pessoalmente no exterior é uma ótima estratégia e oportunidade de conhecer indivíduos que possuem um potencial enorme no seu segmento em seus próprios países e cairão como uma luva para o seu negócio. Muitos compradores estrangeiros não conhecem o real potencial dos produtos brasileiros e acabam não dando a atenção merecida que os nossos negócios e país merecem.

6º CAPÍTULO
"SE PREPARE PARA ATENDER O MUNDO"

CONSTITUIÇÃO DA EMPRESA, AQUISIÇÃO OU ADEQUAÇÃO PARA EXPORTAR

Uma vez confirmada a viabilidade do projeto de exportação por meio de um plano de negócios ou dos estudos citados – porque, o que, onde, quanto, como e quando exportar –, a empresa deverá ser constituída, adquirida, ou, caso já tenha uma pessoa jurídica estabelecida, adequada para tornar-se uma exportadora, em caso de exportação direta. Dessa forma, devemos atentar a alguns pontos cruciais para que se tenha toda a documentação dentro dos parâmetros administrativos, contábeis e fiscais exigidos pela lei para atuar de forma legal e obter o deferimento do Radar-Siscomex, além de ter sustentabilidade e amparo nas operações de exportação – um dos pontos principais para o sucesso da exportadora é a competência na gestão técnica e profissional do seu negócio.

Sociedades empresariais

As sociedades empresariais constituem-se em um leque de opções previstas na legislação brasileira, de forma a aglutinar pessoas físicas e jurídicas, pretendendo atender a um objetivo empresarial. Os principais tipos de sociedades empresariais existentes no Brasil são: limitada, anônima e Eireli, além de tantas outras. Veremos a seguir as mais utilizadas:

Limitada

A sociedade empresarial de responsabilidade limitada é a mais comum no Brasil. Caracteriza-se principalmente pela responsabilidade limitada de cada sócio, podendo ser duas ou mais pessoas físicas ou jurídicas. A abreviatura Ltda. consta, obrigatoriamente, no final da razão social.

O principal objetivo dessa forma de sociedade é limitar e condicionar a responsabilidade de cada sócio de acordo com os investimentos no capital social da empresa. Esse valor investido é distribuído em cotas para cada um, respondendo direta e solidariamente pelo lucro e pela dívida da empresa.

Além de limitar as responsabilidades de cada sócio, essa modalidade protege seu patrimônio pessoal em caso de falência, fechamento ou desligamento da empresa. O administrador dessa sociedade pode ser um ou mais sócios, ou até mesmo um administrador não sócio.

Anônima

A sociedade anônima (S.A.) é mais completa, também chamada de companhia. É caracterizada por ter o seu capital financeiro dividido em ações, de acordo com o investimento de cada acionista. As responsabilidades são limitadas segundo a quantia de ações, que podem ter sido subscritas ou adquiridas. Para sua identificação, a abreviatura S.A. deverá constar no final da razão social.

Esse tipo de empresa pode ter dois ou mais acionistas, e normalmente é constituída por uma assembleia geral, um conselho de administração, um conselho fiscal e uma diretoria. Poderá ser de duas categorias: sociedades anônimas de "capital fechado" ou de "capital aberto".

Eireli

A empresa individual de responsabilidade limitada (Eireli) é uma categoria empresarial constituída por um único sócio, devendo ser pessoa física. Ela surgiu com o propósito de acabar com a figura do sócio "fictício", que era comum em empresas registradas como Limitada. Da mesma forma que a Ltda., a Eireli também protege o patrimônio pessoal do empresário. O capital social mínimo exigido para a abertura de uma empresa individual de responsabilidade limitada é de 100 salários mínimos, exigência legal que serve para dar mais segurança aos credores. Assim como as demais categorias explanadas anteriormente, o termo Eireli deverá constar no final da razão social.

As demais sociedades empresariais, como conta de participação, cooperativa, empresário individual ou microempresário individual, também podem se tornar exportadoras, desde que cumpram com todos os requisitos estabelecidos na legislação vigente.

ADMINISTRADOR

Ao longo dos anos, o nível de exigência por parte dos clientes, colaboradores, sócios, enfim, de todos os *stakeholders*, tem sido cada vez maior, requerendo maior capacidade técnica e analítica dos profissionais, a saber, o administrador ou o gestor das exportadoras. O primeiro, além de gerenciar a empresa como um todo, deve acompanhar o desenvolvimento de todas as atividades, realizando sempre o planejamento com sua equipe, implementação e acompanhamento dos projetos, negociação com profissionais internos e externos, além de fazer revisões dos processos, sempre que possível. Também é o responsável legal perante a Receita Federal do Brasil e demais órgãos, portanto, qualquer irregularidade praticada pela empresa, ou em qualquer exportação, será de responsabilidade do administrador. Deve-se tomar muito cuidado ao delegar; é uma tarefa necessária, mas deve sempre ser feita por profissionais competentes, acompanhando de perto o desenvolvimento das atividades delegadas.

CAPITAL INTEGRALIZADO

O ponto principal na constituição da empresa ou na aquisição de uma é o capital social ou financeiro, integralizado nela tanto em cotas quanto em ações – dependendo do tipo de sociedade empresarial. Primeiro, deve ser compatível com as suas operações. Segundo, deve ser integralizado corretamente na conta-corrente da pessoa jurídica. Terceiro e, principalmente, deve ter origem lícita por parte dos sócios e ser declarado à Receita Federal do Brasil.

É com esses recursos financeiros que a empresa dá início às suas atividades econômicas, para comprar os móveis, alugar ou comprar o imóvel, contratar profissionais ou adquirir todo o seu ativo imobilizado. É comum atendermos empresários que desejam exportar e, quando questionados se a integralização do capital foi efetuada corretamente na abertura da empresa, seguindo as cotas ou ações de cada sócio e tendo como origem a conta bancária da pessoa física transferida para a jurídica, as respostas são as mais diversas possíveis. Em sua maioria, a integralização foi efetuada incorretamente, ou sequer foi realizada.

Sabemos que esse é um dos pontos primordiais para a construção de uma exportadora sólida no mercado, pois, em caso de não integralização correta, ela poderá não ter o deferimento do Radar-Siscomex pela Receita Federal do Brasil e, consequentemente, comprometerá o andamento do projeto de exportação.

Note que o deferimento do radar na submodalidade Expressa, atualmente, é realizada de maneira automática via Portal Único, porém, caso a exportadora passe por alguma investigação por parte do fisco ou deseje também realizar importações e o limite do radar Expresso na importação (USD 50.000,00 dólares/CIF/semestre) não seja suficiente, ela poderá ter complicações para realizar a revisão de estimativa, comprometendo, assim, a alteração da submodalidade Expressa para Limitada ou Ilimitada ou até mesmo ter o radar Expresso suspenso, ou seja, é impreterível que a integralização seja realizada corretamente no ato da abertura ou da aquisição da pessoa jurídica.

ATIVIDADES ECONÔMICAS DA EMPRESA

A Classificação Nacional de Atividade Econômica (CNAEs) informada no contrato social – comércio varejista, atacadista, representação comercial, fabricação etc. – deve coincidir com o ramo de atividade e produtos em que a empresa realmente atuará ou atua.

Dependendo destes, há a necessidade de constar determinadas expressões no contrato social para que ele seja aceito por parte dos órgãos reguladores, como Anvisa, Ministério da Agricultura, entre outros. Não há uma CNAE específica para a atividade de exportação, que poderá ser informada ao longo das atividades mencionadas no contrato social, estatuto, requerimento ou ato constitutivo da empresa.

Outro ponto relevante é que as Secretarias da Fazenda de cada estado estão cada dia mais sincronizadas com a Receita Federal. Dessa forma, é importante que as informações no CNPJ e no Sintegra[3] coincidam. É comum depararmos com dados divergentes entre um sistema e outro, podendo prejudicar a imunidade ou não incidência do ICMS na exportação, assim como gerar questionamentos por parte dos órgãos fiscalizadores.

---

3. Sistema Integrado de Informações sobre Operações Interestaduais com Mercadorias e Serviços.

ENDEREÇO COMERCIAL

É impreterível que o endereço da empresa seja realmente comercial e que ela esteja fisicamente instalada nele para que o alvará da prefeitura e demais autorizações de funcionamento, a depender das atividades econômicas da empresa (CNAEs), sejam emitidos de acordo. Em alguns casos, é necessário vistoria do Corpo de Bombeiros, da Vigilância Sanitária, entre outros.

Caso o exportador queira ter estoque próprio para distribuição internacional, é provável que armazene seu produto em seu próprio estabelecimento. Por isso, é necessário constar em seu alvará a informação correta de ESCRITÓRIO e ARMAZÉM. Se a armazenagem for terceirizada, sugiro que haja um contrato de prestação de serviço com o armazém responsável pelo depósito e pela logística do produto. A maioria das comerciais exportadoras não tem estoque, pois elas compram direto do fabricante e despacham o produto diretamente ao exterior, sem a necessidade de armazená-lo. Também é crucial sempre colocar toda e qualquer conta da pessoa jurídica em nome da empresa. Não se pode solicitar instalação de telefone ou energia elétrica em nome dos sócios, esse é um erro comum de muitos empresários.

7º CAPÍTULO

"NA EXPORTAÇÃO, A TRIBUTAÇÃO É MÍNIMA, O QUE VOCÊ ESTÁ ESPERANDO PARA EXPORTAR?"

PLANEJAMENTO TRIBUTÁRIO

Muitos clientes potenciais que nos contatam praticamente semanalmente, apesar de já terem negociado a venda da mercadoria com o importador estrangeiro, em nenhum momento realizaram o estudo de viabilidade dessa exportação e, em alguns casos, nem mesmo habilitaram suas empresas junto à Receita Federal.

Para quem não tem o conhecimento suficiente na área, é difícil realizar esse estudo sozinho, diante da complexidade das diversas variáveis envolvidas, como impostos incidentes na exportação, despesas aduaneiras e logísticas, que incidirão durante o processo de exportação. Diante disso, sugiro que, antes de realizar qualquer negócio com outro país, seja previamente contratado um despachante aduaneiro ou uma empresa de assessoria em exportação, capaz de realizar esse estudo ou simulação.

REGIMES DE TRIBUTAÇÃO

Atualmente, há três tipos de regimes de tributação no Brasil: o Simples Nacional, o Lucro Presumido e o Lucro Real. A escolha de qual deles é melhor para a exportadora dependerá das atividades econômicas da empresa e das variáveis do mercado. Para tomar essa decisão, sugiro solicitar ao seu contador e ao seu despachante aduaneiro um planejamento tributário e os cenários possíveis de acordo com cada regime. A tributação na exportação dependerá do regime aplicado, dessa forma, a escolha adequada é essencial para a viabilidade dessa atividade.

Simples Nacional

O regime de tributação mais atrativo para as pequenas e médias empresas é o Simples Nacional. Além de ter normas simplificadas de cálculo e recolhimento de tributos, o custo previdenciário é menor. Os tributos incidentes são aplicados em uma única guia, denominada Documento de Arrecadação do Simples Nacional (DAS), que reúne os seguintes impostos: Imposto de Renda Pessoa Jurídica (IRPJ), Contribuição Social sobre o Lucro Líquido (CSLL), Programa de Integração Social (PIS), Contribuição para o Financiamento da Seguridade Social (Cofins), Imposto sobre Produtos Industrializados (IPI), Contribuição Patronal Previdenciária (CPP), Imposto sobre Serviços (ISS) e Imposto sobre Circulação de Mercadorias e Serviços (ICMS).

Contudo, nem todas as empresas podem optar pelo Simples Nacional. As principais barreiras são determinadas atividades econômicas, o teto de faturamento, as formas societárias cooperativas e a participação do sócio em mais de uma empresa. Como o tema em questão é exportação, caso esta seja preponderante no seu negócio, não valerá a pena manter sua empresa no Simples Nacional, isso porque esse enquadramento não dará o direto de "imunidade" e "não incidência" de impostos tanto neste quanto nos demais regimes (Lucro Presumido e Real).

Lucro Presumido

O Lucro Presumido é uma forma de tributação simplificada que determina a base de cálculo do Imposto de Renda e da Contribuição Social sobre o Lucro Líquido. Esse regime presume o lucro da empresa a partir de sua receita bruta, alcançando uma tributação estimada, não aplicada com base no lucro contábil efetivo.

É o regime mais comum entre os pequenos e médios exportadores, sejam eles indústrias ou comercial exportadores, pois garante o direito à imunidade do IPI e do ICMS quando realizam as exportações, além da isenção do PIS e Cofins, tornando, assim, as exportações mais competitivas. Apesar desses benefícios supracitados, a incidência de IRPJ e CSLL se aplica normalmente.

Lucro Real

No Lucro Real, o IRPJ e a CSLL são determinados a partir do lucro contábil, acrescido de ajustes negativos ou positivos conforme legislação fiscal. É o mais vantajoso para os exportadores de grande porte, com margens de lucro reduzidas e com custo fixo e variável altos. Por isso, trata-se de um regime mais justo que o Lucro Presumido. No entanto, por ser muito burocrático, exige um controle fiscal e contábil extremamente correto e bem apurado.

Nesse regime, o exportador também terá o direito à imunidade do IPI e do ICMS quando realizar as exportações, além da isenção do PIS e da Cofins, porém com aplicação normal do IRPJ e da CSLL sobre o lucro real das operações.

CLASSIFICAÇÃO FISCAL

A Nomenclatura Comum do Mercosul, mais conhecida como NCM ou classificação fiscal, é um dos pontos mais importantes da exportação. É composta por oito dígitos e determina o imposto de exportação a ser recolhido (quando houver) na exportação de mercadorias, e também se há a necessidade de anuência prévia ou não de algum órgão anuente brasileiro; havendo a exigência de aprovação, será necessário providenciar a LPCO (Licenças, Permissões, Certificados e Outros documentos à exportação).

Muitos exportadores subestimam a utilização da NCM correta, sendo ela de extrema importância para evitar multas ou penalidades aplicadas pelo fisco. Para classificar a mercadoria devidamente, há um sistema chamado Tarifa Externa Comum (TEC), que é utilizado pelos países do Mercosul. Dentro dele, há um local de pesquisas de NCMs e as Normas Explicativas do Sistema Harmonizado (NESH), que esclarecem detalhadamente cada código, possibilitando a classificação correta da mercadoria.

Caso realize poucas exportações ou ainda tenha dificuldades de classificar sua mercadoria, você pode consultar seu despachante aduaneiro, contador ou advogado tributarista para lhe auxiliar na pesquisa da classificação fiscal correta. Do contrário, é possível ter acesso à TEC assinando a anuidade de *softwares* especializados ou até mesmo pelo website do Ministério da Economia, que é responsável pela Secretaria de Indústria, Comércio Exterior e Serviços.

Caso não tenha certeza da classificação fiscal do seu produto e seja um exportador frequente deste, sugiro realizar uma consulta formal junto à Receita Federal, em que será necessário preencher uma série de documentos, juntar a petição e demais documentos via e-CAC (Centro Virtual de Atendimento).

A Receita Federal abrirá um processo administrativo e realizará a análise dessa consulta. Posteriormente, responderá à petição e publicará a consulta no *Diário Oficial da União*. Dessa maneira, você estará resguardado da NCM que deseja utilizar ou vem adotando em suas exportações. A Instrução Normativa vigente desse tema dará o direcionamento para que essa consulta seja elaborada corretamente.

É importante ressaltar que muitos exportadores classificam os seus produtos de maneira amadora, muitas vezes fugindo de anuências dos órgãos brasileiros, sendo este um erro crasso que pode custar caro. O produto deve ser classificado técnica e corretamente, e não pela necessidade de LPCO ou não, como dito anteriormente. Também ressalto que, por mais que o exportador receba o HS Code[4] do importador estrangeiro, pedindo alteração deste para facilitar de alguma maneira a entrada no país de destino, a NCM será sempre de responsabilidade do exportador perante as instituições brasileiras.

Destaque e atributos da NCM

"Atributos" é o conjunto de propriedades criado para melhor caracterizar os produtos segundo espécies, marcas comerciais, tipos, modelos, séries, aplicação, entre outras informações. O Portal Único disponibilizará esse campo quando a NCM informada na NF-e de exportação possuir "Destaque" para que seja preenchido devidamente.

Exemplo:

- NCM 7318.29.00 (Outros) não possui destaque e, portanto, não possui atributo.
- NCM 8703.23.10 (Com capacidade de transporte de pessoas sentadas inferior ou igual a seis, incluindo o motorista) possui destaque de NCM, devendo informar se refere a VEÍCULO (CARRO) BLINDADO ou DEMAIS.

Quando o seu despachante aduaneiro mencionar qualquer solicitação sobre os atributos do produto a ser exportado, você saberá do que se trata e poderá fornecer as informações adequadamente, tendo, assim, um bom fluxo operacional na exportação.

TRIBUTAÇÃO NA EXPORTAÇÃO

É de extrema relevância o conhecimento profundo da tributação na exportação, que é muito diferente dos impostos com os quais

---

4. HS Code é o sistema base usado para as NCMs. Trata-se de um sistema internacional de classificação de mercadorias, contendo informações referentes à origem do produto, materiais e aplicação.

estamos acostumados quando comercializamos somente no mercado interno. É muito comum ouvir que na exportação não há incidência de impostos, porém essa não é a realidade.

Os principais impostos incidentes na exportação nas operações de empresas enquadradas no Lucro Presumido ou Real são o IRPJ e a CSLL. São raros os casos em que se aplica o Imposto de Exportação (IE). Os demais impostos e contribuições, como o IPI, o PIS/Pasep, a Cofins e o ICMS não são tributados, por fazerem parte de um conjunto de incentivos fiscais do governo brasileiro, com o único objetivo de tornar nossos produtos competitivos mundialmente.

Explicarei detalhadamente sobre cada um deles a seguir.

Imposto de Exportação (IE)

O Imposto de Exportação é de competência federal, ou seja, somente a união tem poder para alterá-lo. Cabe ao Poder Executivo estipular qual *alíquota específica* ou *ad valorem* (%) do imposto deva ser aplicada, não havendo uma tarifa definida, como na importação.

Como as exportações trazem recursos financeiros ao país, trata-se de um imposto pouco aplicado, sendo comum o uso da alíquota zero, com o intuito de atender à política cambial e comercial do País, considerando sempre o equilíbrio da balança comercial.

A base de cálculo desse imposto é o preço normal que o produto, ou seu similar, alcançaria ao tempo da exportação, em outras palavras, trata-se do preço à vista do produto, FOB ou colocado na fronteira.

Quando exigido, o recolhimento é efetuado via Documento de Arrecadação de Receitas Federais (Darf) no momento da emissão da Declaração Única de Exportação (DU-E) ou documento equivalente, tendo como fato gerador a saída do produto nacional, ou nacionalizado, para outro país.

Imposto sobre Produtos Industrializados (IPI)

O Imposto sobre Produtos Industrializados também é um imposto federal e, portanto, de competência da União.

Na exportação, a legislação vigente determina a imunidade da incidência de IPI sobre produtos industrializados destinados ao exterior. Aplica-se também a suspensão do IPI em outras situações, como na saída do estabelecimento industrial destinado a:

- comerciais exportadoras, com o fim específico de exportação;
- recintos alfandegados ou entreposto aduaneiro;
- qualquer outro local em que será processado o despacho aduaneiro de exportação.

É importante ressaltar que, no caso da suspensão do IPI, este deixará de ser exigido, desde que o evento futuro (exportação) seja de fato concretizado dentro do prazo legal permitido. Exportadoras no regime de tributação do Simples Nacional não desfrutam dessa imunidade ou suspensão, tendo em vista que essa contribuição estará dentro do imposto único recolhido normalmente.

Programa de Integração Social (PIS) e Contribuição para o Financiamento da Seguridade Social (Cofins)

O Programa de Integração Social e a Contribuição para o Financiamento da Seguridade Social são ações federais que asseguram financeiramente a previdência e a assistência social. Na exportação de produtos manufaturados, semielaborados e primários, ambas as contribuições são isentas do pagamento, conforme legislação vigente, desde que as exportadoras estejam enquadradas no Lucro Presumido ou Real. Exportadoras no regime de tributação do Simples Nacional não desfrutam dessa isenção, tendo em vista que essas contribuições estarão dentro do imposto único recolhido normalmente.

Imposto sobre Circulação de Mercadorias e Serviços (ICMS)

O Imposto sobre Circulação de Mercadorias e Serviços é de competência estadual e incide tanto nos produtos comercializados no mercado interno quanto nos importados. Na exportação de produtos primários, semimanufaturados ou industrializados não são tributáveis as operações, e para cada situação há uma aplicação diferente, conforme veremos a seguir:

- Industrializados – usufrui da imunidade.
- Semimanufaturados – usufrui da não incidência.
- Primários – usufrui da não incidência.

Por ser tratar de um imposto estadual, cada um dos estados da Federação tem legislação própria; dessa maneira, é importante aprofundar o estudo dessas bases legais no decreto do seu estado (RICMS). De qualquer forma, os estados são obrigados a seguir os Convênios do Conselho Nacional de Política Fazendária (Confaz), que regulamenta o ICMS na exportação. Novamente, isso é aplicável às exportadoras enquadradas no Lucro Real ou Presumido. Também não há retenção de ICMS-ST (substituição tributária) na exportação. Exportadoras no Simples Nacional devem observar o Regulamento do ICMS do seu estado para que tenha a devida confirmação, tendo em vista se tratar de uma tributação única de impostos por meio do Documento de Arrecadação do Simples Nacional (DAS).

Lei Kandir

A Lei Complementar n. 87/1996, também conhecida como Lei Kandir, em virtude do nome de seu autor, o ex-deputado federal Antônio Kandir, é a responsável por isentar o ICMS na exportação de bens e mercadorias. Essa legislação surgiu da necessidade de estimular as exportações brasileiras, tendo como lema "exportar é o que importa". Trata-se de uma lei que está em plena discussão por parte dos governadores. Os estados alegam que a União não está realizando os repasses acordados, dessa forma, a tendência é que essa lei seja eventualmente revogada.

Imposto de Renda Pessoa Jurídica (IRPJ)

O Imposto de Renda Pessoa Jurídica é um tributo federal tributado sobre o lucro real, presumido ou arbitrado, tendo como base de cálculo todos os ganhos e rendimentos de capital daquele período. Na exportação, não há nenhum incentivo fiscal ou redução, sendo tributado integralmente da mesma maneira que no mercado interno. Dessa forma, a tributação desse imposto incide de maneira integral, representando 15% sobre o lucro ou 1,20% sobre o faturamento bruto, no caso de exportadora enquadrada no Lucro Presumido (em alguns casos específicos, poderá haver adicional). No Lucro Real, a incidência será sobre o lucro após contabilizadas as vendas, os impostos, as despesas e os custos, e, no Simples Nacional, esse imposto estará dentro do imposto único recolhido normalmente.

Contribuição Social sobre o Lucro Líquido (CSLL)

A Contribuição Social sobre o Lucro Líquido é um imposto federal também utilizado para financiar a seguridade social. Na exportação, as empresas exportadoras não gozam de nenhum benefício sobre o pagamento dessa contribuição, dessa forma, a tributação desse imposto incide de maneira integral, representando 9% sobre o lucro ou 1,08% sobre o faturamento bruto, no caso de exportadora enquadrada no Lucro Presumido. No Lucro Real, a incidência será sobre o lucro após contabilizadas as vendas, os impostos, as despesas e os custos, e, no Simples Nacional, esse imposto estará dentro do imposto único recolhido normalmente.

Encargos sociais

Da mesma maneira que o IRPJ e CSLL supracitados, os encargos sociais e trabalhistas, não possuem nenhum tipo de benefício, sendo assim, são tributados integralmente.

É de extrema importância que o exportador conheça as bases legais sobre a tributação de cada imposto e contribuição, assim como, quando houver benefícios como imunidade, suspensão e não incidência para que o preço de exportação seja calculado corretamente e que sejam informadas as legislações vigentes nas informações complementares da nota fiscal de exportação, seja ela direta ou indireta, para que qualquer profissional envolvido na operação, tenha conhecimento da origem de cada embasamento técnico evitando assim qualquer tipo de desentendimento.

DOCUMENTO DE ARRECADAÇÃO DO SIMPLES NACIONAL (DAS)

Exportadoras enquadradas no Simples Nacional também usufruem de benefícios fiscais, devendo as receitas auferidas com a exportação direta ou indireta serem lançadas separadamente das receitas do mercado interno, sendo assim, mediante esta segregação, será excluído do Documento de Arrecadação do Simples Nacional (DAS) os tributos IPI, PIS/Pasep, COFINS e ICMS relativo as vendas para outros países.

Exemplo:

Receita referente janeiro de 2019:

a) R$ 20.000,00 - vendas no mercado interno;

b) R$ 20.000,00 - vendas para o exterior.

Considerando que o contribuinte é uma empresa de comércio enquadrada no Anexo I e está na faixa de receita bruta de

R$ 180.000,01 a R$ 360.000,00, teremos a tributação do percentual de 7,3% para as vendas no mercado interno:

R$ 20.000,00 x 7,30% = R$ 1460,00

Para as vendas para o exterior, teremos a tributação do percentual de 5,16%, pois foi excluído o IPI, PIS/Pasep, COFINS e ICMS:

R$ 20.000,00 x 5,16% = R$ 1032,00

Total do DAS a recolher entre mercado interno e externo de R$ 2492,00.

Para saber o percentual a ser aplicado, é necessário acessar os Anexos da Tabela do Simples Nacional do ano correspondente. Em caso de qualquer dificuldade, consultar seu contador ou qualquer outro especialista em tributação.

8º CAPÍTULO

"TORNAR-SE EXPORTADOR É MUITO MAIS FÁCIL DO QUE VOCÊ IMAGINA"

RADAR-SISCOMEX

Quando habilitamos a sua empresa para realizar exportações diretas, chamamos essa habilitação de Radar-Siscomex. Atualmente, há três submodalidades de radar: a Expressa, a Limitada e a Ilimitada.

A legislação que estabelece o procedimento para obtenção dessa habilitação é realizada por meio de Instrução Normativa publicada pela Receita Federal do Brasil.

Expressa

Este subtipo permite que o importador importe semestralmente a quantia de USD 50.000,00 dólares/CIF e o exportador exporte SEM limite. Isso significa que ele pode importar essa quantia de mercadoria, frete internacional e seguro internacional semestralmente e exportar a quantia que desejar. O deferimento dessa habilitação é rápido, pois é realizado virtualmente (on-line), utilizando o Certificado Digital do responsável legal da exportadora, por meio do Portal Único de Comércio Exterior.

Esta submodalidade é aplicável principalmente nos casos de:

a) pessoa jurídica que pretenda realizar operações de exportação SEM limite de valores e de importação, cujo somatório dos valores, em cada período consecutivo de seis meses, seja inferior ou igual a USD 50.000,00;

b) pessoa jurídica constituída sob a forma de Sociedade Anônima de capital aberto, com ações negociadas em bolsa de valores ou no mercado de balcão, bem como suas subsidiárias integrais;

c) pessoa jurídica certificada como Operador Econômico Autorizado (OEA);

d) empresa pública ou sociedade de economia mista;

e) órgão da administração pública direta, autarquia e fundação pública, órgão público autônomo, organismo internacional e outras instituições extraterritoriais.

Para as empresas e órgãos mencionados nos itens "b", "c", "d" e "e", o limite de importação da habilitação expressa será definido acima dos USD 50.000,00 dólares/CIF, diferentemente do aplicado a importadores de pequena monta (item "a"). O motivo de eu citar a importação neste caso é que muitos exportadores também são importadores e dependem do mercado externo para aquisição de matéria-prima, embalagem, equipamento, entre outros produtos. Caso tenha interesse em obter mais conhecimento sobre importação, sugiro a leitura do livro *7 passos para o sucesso na importação*, também de minha autoria e publicado por esta mesma editora.

Limitada

Esta habilitação permite que o importador traga para o país, semestralmente, a quantia de até USD 150.000,00 dólares/CIF e o exportador exporte SEM limite. Para que esse Radar nesta submodalidade seja deferido, caso sua empresa nunca tenha sido habilitada anteriormente, deve-se dar entrada com um pedido de habilitação também de maneira on-line e acompanhar o andamento da análise via e-CAC (Centro de Atendimento ao Contribuinte).

Caso sua empresa apresente valores de tributos, contribuições, encargos sociais contábil e fiscalmente acima de USD 50.000,00, recolhidos nos últimos cinco anos, que, divididos pela média do dólar e sistematicamente, não apresentem nenhuma discrepância em relação ao fisco, essa submodalidade também poderá ser deferida automaticamente com o uso do Certificado Digital do responsável legal da exportadora via Portal Único de Comércio Exterior.

Caso seja necessário apresentar os documentos, mesmo que de maneira virtual, a Receita Federal fará uma análise profunda dos documentos apresentados e das informações obtidas pelo próprio sistema. Se o auditor fiscal julgar necessário, ele poderá solicitar mais documentos e explicações para que você tenha esse pedido deferido.

Por se tratar de uma análise mais criteriosa, o deferimento ou indeferimento levará mais tempo que no caso da habilitação Expressa. Considerando que você seguirá à risca nossas dicas mencionadas na constituição da empresa, com certeza terá sucesso nessa habilitação.

A submodalidade Limitada aplica-se à pessoa jurídica cuja capacidade financeira comporte operações de importação às quais a soma dos valores, em cada período consecutivo de seis meses, seja superior a USD 50.000,00 e igual ou inferior a USD 150.000,00.

Ilimitada

A habilitação Ilimitada permite que se importe e exporte sem limites, desde que os valores fiquem dentro da faixa da capacidade financeira da empresa. Significa poder importar e exportar a quantia que desejar, sem interrupção sistêmica. Porém, a Receita Federal poderá solicitar documentos contábeis, financeiros e fiscais a qualquer momento para comprovar sua capacidade financeira, caso julgue necessário. Dessa forma, é de extrema importância que, independentemente da submodalidade de Radar-Siscomex que sua empresa tenha, toda a organização, os procedimentos e os controles sejam feitos adequadamente para garantir a saúde financeira e administrativa perante o mercado, a Receita Federal e demais órgãos. Da mesma maneira que o Radar Limitado, durante a análise desse pleito, o auditor fiscal poderá solicitar mais documentos e explicações para deferi-lo, caso o deferimento não ocorra de maneira on-line, como citado no subcapítulo anterior.

    Atualmente, está cada dia mais difícil obter essa habilitação, pois o sistema da Receita Federal realiza o cálculo de estimativa conforme estabelecido na Portaria Coana vigente, além de estar mais exigente quanto à documentação. A seguir um exemplo de cálculo realizado pelo sistema da Receita Federal durante a análise preliminar:

2. Cálculo de estimativa	Base legal cfe ADE 123/2015	Valor
2.1 - Recolhimentos de IRPJ, CSLL, PIS e Cofins	art. 4º, I	R$ 109.194,93
2.2 - Recolhimentos previdenciários	art. 4º, II	R$ 292.046,93
2.3 - Cotação média do dólar (R$/US$)		R$ 2.295,80
2.4 - Estimativa da capacidade financeira em US$	art. 4º, par. 1º	US$ 127.209,09

    Caso a estimativa da capacidade financeira seja menor do que USD 150.000,00, o auditor fiscal responsável pela análise do seu pedido de Radar solicitará documentos que comprovem sua capacidade financeira acima dessa quantia. Se não for possível comprovar, seu pleito de Radar será indeferido, porém, se sua empresa possuir alguma das outras submodalidades, você poderá permanecer com o Radar anterior ao pleito desde que não seja constatada nenhuma irregularidade grave, caso contrário, poderá ter sua habilitação suspensa.

É importante ressaltar também que, uma vez deferido o Radar-Siscomex da sua exportadora, independentemente da submodalidade, em caso de inatividade pelo período de seis meses subsequentes à última operação de exportação ou importação, sua habilitação será suspensa automaticamente pelo sistema da Receita Federal do Brasil.

REVISÃO DE ESTIMATIVA

Se sua primeira habilitação for da submodalidade expressa e deseje alterar para Limitada ou Ilimitada, ou se sua habilitação é Limitada e deseja alterar para Ilimitada, primeiramente deverá submeter a revisão de estimativa de maneira sistêmica via Portal Único. Caso não seja possível o deferimento automático, será necessário apresentar os documentos à Receita Federal, conforme Instrução Normativa e Portaria Coana vigentes.

No requerimento de habilitação, mencione que deseja a revisão estimativa do seu Radar-Siscomex, assim a Receita Federal fará a análise devidamente. Por mais que tenha a habilitação expressa ou limitada deferida, isso não é garantia de que as demais submodalidades também serão; por isso, é importante que, na constituição da empresa, a integralização de capital tenha sido feita corretamente e este seja de origem lícita. Muitos pedidos de Radar Limitado e Ilimitado estão sendo indeferidos pela falta de documentação. Com isso, os importadores e os exportadores ficam limitados, prejudicando assim as importações e, por consequência, as exportações, além do faturamento da empresa e suas atividades futuras.

CERTIFICAÇÃO DIGITAL

O Certificado Digital é uma assinatura virtual, com validade jurídica, que garante proteção às transações eletrônicas e a outros serviços via internet. Permite, assim, que pessoas e empresas se identifiquem, acessem e assinem digitalmente qualquer documento ou website que o exija para validação. Há diversos tipos de certificados digitais, e os mais utilizados pelos exportadores são o e-CPF e o e-CNPJ.

Há dois modelos de e-CPF e e-CNPJ: o A1 e o A3. O que difere um do outro é que o primeiro é válido por um ano e é armazenado no computador que pleiteou o certificado digital perante a Certificadora, por isso é importante realizar um *backup*; já o A3 tem a opção de validade de um a três anos e seu armazenamento é externo, em *token* ou cartão eletrônico. Dessa forma, o *backup* e o armazenamento do *token* ou cartão eletrônico devem ocorrer em locais seguros, com senhas devidamente guardadas e livre acesso, quando necessário. É comum solicitarmos aos exportadores a realização do cadastro dos despachantes no Radar-Siscomex ou procuração eletrônica e eles desconhecerem o local em que armazenaram os certificados digitais citados.

Os certificados digitais poderão ser adquiridos pelas Certificadoras Serasa Experian, Assine Digital, Correios, entre outras disponíveis no mercado.

Certificado Digital e-CPF

Após o deferimento da habilitação, independentemente da submodalidade pleiteada, é necessário o uso do Certificado Digital e-CPF para que o exportador possa realizar o cadastramento dos despachantes aduaneiros no seu radar. Deve ser em nome do responsável legal da exportadora, geralmente o sócio administrador. Não é possível realizar essa atividade por meio do e-CNPJ.

Certificado Digital e-CNPJ

Este certificado digital é utilizado para a emissão de nota fiscal eletrônica, acesso ao Centro Virtual de Atendimento da Receita Federal (e-CAC), emissão de Conhecimento de Transporte Eletrônico (CT-e), assinatura em escrituração contábil ou fiscal (caso necessário), assinatura em contratos de câmbio, realização de registros no Siscoserv, realização de procuração eletrônica (quando necessário), entre outras atividades.

9º CAPÍTULO

"EXPORTAÇÃO É O PROCESSO DE SAÍDA DE BENS E PRODUTOS DO TERRITÓRIO NACIONAL PARA OUTRO PAÍS"

MODALIDADES DE EXPORTAÇÃO

Exportação é o processo de saída de bens e produtos do território nacional para outro país. Para que a exportação possa ser realizada, deve-se passar por um processo chamado desembaraço aduaneiro, cumprindo com as exigências da legislação brasileira, além de ter que fornecer documentos solicitados pelo importador estrangeiro para a devida liberação aduaneira no país destinatário.

As principais modalidades de exportação são a "direta" e a "indireta", conforme veremos a seguir.

Exportação direta

A exportação direta é a operação em que o produto é vendido diretamente do fabricante ao comprador estrangeiro sem a intermediação mercantil de terceiros, ou seja, o pagamento da mercadoria é realizado do importador estrangeiro ao exportador brasileiro.

Nessa modalidade, é necessário que o exportador tenha a empresa habilitada para exportar junto à Receita Federal do Brasil, e é de extrema relevância que tenha conhecimento do processo de exportação – a negociação internacional, o recebimento do pagamento do exterior (câmbio), o despacho aduaneiro, assim como toda a logística envolvida.

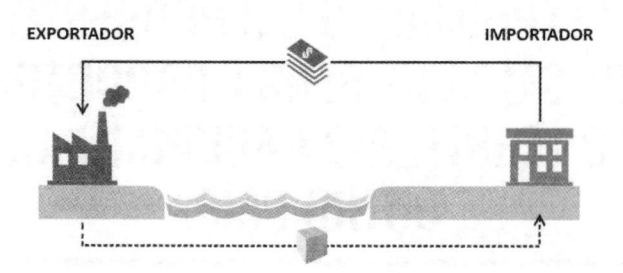

Exportação indireta

A exportação indireta é a operação realizada por intermédio de empresas exportadoras estabelecidas no Brasil que adquirem produtos de fabricantes nacionais ou multinacionais destinados exclusivamente à exportação. Essas exportadoras são denominadas comercial exportadoras ou *trading companies*, que detêm o conhecimento do mercado adquirente, além de toda a burocracia aduaneira. São facilitadores de negócios, muitas delas especializadas em determinados segmentos e países. Nesse caso, o fabricante emitirá a nota fiscal de exportação indireta ao exportador, que ficará responsável por realizar toda a operação logística e aduaneira ao país destinatário de acordo com o negociado com o importador estrangeiro.

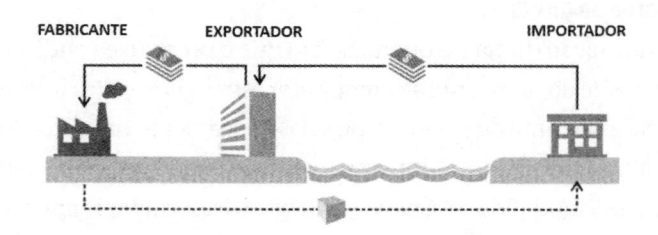

COMERCIAL EXPORTADORA E *TRADING COMPANY*

Empresas comercial exportadoras (ECE) têm como objetivo "comercializar", ou seja, comprar e vender mercadorias. Não possuem estoque próprio, são especialistas na área comercial de determinados segmentos e detêm *know-how* na logística aplicada no comércio exterior, atuam diretamente na prospecção de compradores, muitas possuem redes consolidadas de compradores em âmbito mundial, dessa forma, praticam a chamada "venda casada" ou somente a "intermediação" da negociação entre comprador e produtor, o que depende da política interna de cada empresa e da margem de lucro aplicada a cada tipo de produto.

No Brasil, temos o hábito de generalizar tudo. No comércio exterior, por exemplo, chamamos toda e qualquer empresa de comércio que atua na importação ou exportação de *trading company*, porém isso não é o correto. Afinal, qual é a diferença entre "*trading company*" e "comercial exportadora"?

Trading companies são reconhecidas como tal a partir do momento em que obtêm o Certificado de Registro Especial junto à Secretaria de Comércio Exterior (Secex) e à Secretaria da Receita Federal do Brasil (RFB). Essa norma assegura os benefícios fiscais concedidos por lei para incentivo à exportação tanto ao exportador quanto ao produtor, e permite que armazenem mercadorias destinadas à exportação em seu próprio estabelecimento.

Para que uma empresa comercial exportadora se torne uma *trading company* de fato, é necessário que se cumpram alguns requisitos, tais como ser constituída sob forma de sociedade por ações (S.A.), sendo nominativas com direito a voto, possuir capital mínimo realizado equivalente a 703.380 UFIR (Unidades Fiscais de Referência) e não ter sofrido punição em decisão administrativa, por infrações aduaneiras, cambial, de comércio exterior ou repressão ao abuso de poder econômico.

Ou seja, a legislação tributária atual dispõe de dois tipos de empresas comercial exportadoras: as que possuem o Certificado de Registro Especial, denominadas *trading companies*, regulamentadas por meio de decreto-lei, e as que não possuem, sendo somente uma Comercial Exportadora regulamentada pelo Código Civil brasileiro. Em ambas as situações, usufruem de incentivos fiscais semelhantes na exportação.

OPERAÇÕES "CONTÍNUA *VERSUS SPOT*"

É comum que os prestadores de serviços envolvidos na operação de exportação utilizem jargões muitas vezes conhecidos somente por quem atua na área. Um deles é questionar ao exportador, quando realizado o primeiro contato, se a operação será contínua ou *spot*.

O que significam esses termos?

Exportação "contínua" é a exportação amparada por contrato entre comprador estrangeiro e exportador brasileiro, geralmente contratos anuais, ou seja, o exportador tem formalizados a previsão (*forecast*) de quantidade, o valor monetário, a periodicidade de compras e embarques, entre outros, daquilo que será comprado naquele ano ou período, dando, assim, segurança ao exportador em realizar investimentos muitas vezes necessários para que seu parque fabril produza e atenda àquela demanda teoricamente garantida, além de adquirir matéria-prima e embalagem suficientes, ter uma programação de produção antecipada e, dependendo da situação, um estoque mínimo para cumprimento desse contrato.

Mediante um contrato de exportação contínua, também é possível negociar melhores tarifas com os envolvidos na operação, seja com a transportadora que fará o frete rodoviário de um ponto ao outro, seja com o terminal de cargas, despachante aduaneiro ou agente de cargas, podendo haver outros profissionais envolvidos, a depender do modal que será utilizado nessas exportações.

Para que seja estabelecido um contrato para operações contínuas, é necessário começar com a exportação *spot*, ou seja, com o envio de amostras para o comprador estrangeiro, analisar o atendimento, a qualidade e a aplicação do produto e, assim, homologar o exportador brasileiro e o produto junto à importadora. Há também operações *spot* que são realizadas de vez em quando, sem contrato, sem definição e previsão de compras futuras.

EXPORTAÇÃO SIMPLIFICADA

A exportação simplificada, mais conhecida como remessa expressa, é utilizada majoritariamente em exportações por meio de envio postal (correios) ou de empresas *courier*, como DHL, Fedex, TNT, UPS etc. que realizam o transporte expresso internacional porta a porta (*door to door*), com valores de operação, com ou sem cobertura cambial.

Para remessas de até USD 1.000,00, será necessário emitir a Declaração de Remessa Expressa (DRE) via formulário; para operações acima dessa quantia, será exigido o despacho formal. Obrigatoriamente, o exportador deverá estar habilitado no Radar-Siscomex; caso não possua habilitação, deverá providenciar por conta própria ou junto ao contador, despachante aduaneiro, consultor ou comissária de despachos. A própria empresa *courier* poderá realizar a liberação aduaneira mediante registro da Declaração Única de Exportação (DU-E).

Dessa forma, a empresa *courier* solicitará a nota fiscal (Danfe) de exportação em PDF ou XML para que a chave de acesso desse arquivo seja lançada no Portal Único de Comércio Exterior e, assim, o desembaraço seja realizado. É importante, antes de realizar a solicitação de coleta da mercadoria, que se verifique com a empresa *courier* que será contratada se há exigência de LPCO ou não para exportar os bens objeto dessa remessa, pois, caso haja, eles poderão providenciar antecipadamente.

Vale ressaltar que, independentemente do frete internacional a ser pago na origem (*prepaid*), no Brasil, ou no destino (*collect*), no país destinatário, o despacho aduaneiro de exportação é obrigatório.

Amostras

Quando o importador em potencial está em processo de desenvolvimento de fornecedor, é comum solicitar amostras para análise da qualidade e outras características do produto, em especial para os produtos estrangeiros. Em caso de objetos de baixo valor agregado, o exportador brasileiro poderá definir uma cota para despachar o produto ao comprador estrangeiro sem cobrar o custo das amostras (sem cobertura cambial). Caso contrário, o pagamento da mercadoria deverá ser cobrado normalmente (com cobertura cambial), sendo que o custo do frete internacional e os impostos geralmente são por conta do importador. Assim, durante a negociação, ao solicitarem amostras, o exportador deverá informar ao importador se haverá custo ou não; se não houver, deverá verificar se o comprador tem conta aberta com as empresas de transporte expresso internacional, mais conhecidas como *courier*. Uma vez aprovado o envio das amostras, e o importador tendo conta nesses agentes de cargas, fornecerá esse número ao fornecedor (exportador), para que ele contate o agente de cargas no Brasil e solicite a coleta e o embarque ao país destinatário.

Há também a possibilidade de envio das amostras por meio do serviço postal do Brasil, Correios. As empresas *courier* têm custo de transporte internacional mais alto que os Correios, porém são muito mais ágeis, e o importador e o exportador conseguem informações a todo o momento, seja pelo número de rastreamento através do website da companhia, seja pelo telefone gratuito. Já os Correios têm custo menor, porém o rastreamento é limitado e as informações são precárias.

Os documentos que devem acompanhar as amostras são basicamente os mesmos de uma exportação formal. O conhecimento de embarque nesse caso, por se tratar de embarque aéreo, é amparado por AWB (*Air Way Bill*, ou seja, Conhecimento de Embarque Aéreo). A fatura comercial deverá indicar se houve ou não cobertura cambial (pagamento ou não da mercadoria), assim como o romaneio de carga (*packing list*), todos esses documentos deverão estar assinados pelo exportador.

Para exportações de produtos que necessitam de anuência da Anvisa, do Ministério da Agricultura e demais órgãos, sugiro que os contate antes de solicitar coleta das amostras, a fim de verificar o procedimento a ser adotado para deferir a LPCO. Da mesma forma, o importador verificará em seu país o procedimento de liberação alfandegária, que será de responsabilidade dele.

A exportação de amostras deve ser tratada como um investimento por parte do exportador brasileiro, trata-se de uma ação comercial. Em caso de amostras volumosas, o envio poderá ser efetuado por meio do modal marítimo tanto em embarque consolidado (LCL) quanto em contêiner cheio (FCL). Desta forma, o importador deverá designar o agente de cargas no Brasil que ficará responsável pela coleta, despacho aduaneiro, transporte internacional etc.

EXPORTAÇÃO TEMPORÁRIA

Trata-se de exportação temporária a saída de bens nacionais ou nacionalizados para outros países, com isenção de pagamento de impostos na exportação, desde que em caráter temporário, com prazo para retorno predeterminado e sem cobertura cambial.

Atualmente, esse prazo é de doze meses, podendo ser prorrogado por mais doze meses, e os bens deverão ser devidamente identificados no ato do despacho aduaneiro de exportação para confirmação no retorno de que se trata dos mesmos bens enviados anteriormente.

Este regime se aplica a diversas situações, como mercadoria destinada a feiras, eventos esportivos, exposições, ou para reparo, conserto, restauração, aperfeiçoamento passivo, entre outros.

Para que esse regime seja aplicado devidamente, é necessário entrar com a abertura de um processo administrativo junto à Receita Federal de sua jurisdição para que ele seja vinculado à Declaração Única de Exportação e, dessa forma, o auditor fiscal da Receita Federal responsável por essa liberação específica possa realizar a devida análise documental e física da mercadoria, autorizando, ou não, a aplicação desse regime.

É importante ressaltar que, caso esse procedimento não seja adotado previamente ao embarque, a Receita Federal não aceitará o retorno da mercadoria como reimportação, tendo o exportador sérias complicações para realizar o retorno desses bens, como o recolhimento integral dos impostos de importação e, em caso de mercadoria usada, o deferimento de Licenciamento de Importação junto à Suext (antigo Decex) previamente ao retorno.

Há duas maneiras de extinguir essa exportação temporária: pela reimportação dos bens do exterior e, caso esta não seja possível, pela alteração para exportação definitiva, seguindo legislação específica, sendo o Regulamento Aduaneiro, Portarias e Instruções Normativas pertinentes.

EXPORTAÇÃO POR CONTA E ORDEM

A operação de exportação por conta e ordem de terceiros foi criada para suprir a demanda de "exportadores" que desconhecem a sistemática operacional e logística da exportação direta. Mesmo tendo um intermediário, nesse caso o "declarante" podendo ser também o próprio operador logístico contratado, a operação ainda é considerada como direta, pois a nota fiscal (Danfe) de exportação, assim como os demais documentos, como fatura proforma, fatura comercial, romaneio de carga, e a Declaração

Única de Exportação (DU-E) são emitidos diretamente do produtor/fabricante/exportador contra o comprador/importador estrangeiro.

É importante ressaltar que, mesmo sendo conta e ordem de terceiro, não existe obrigação de vinculação de CNPJs via Portal Único, como no caso da operação de importação por conta e ordem de terceiros, porém ambos devem estar habilitados no Radar-Siscomex junto à Receita Federal do Brasil para que seja declarada exportação por conta e ordem na DU-E. Cabe esclarecer que tanto o "exportador" quanto o "declarante" são responsáveis solidários em caso de alguma infração ou irregularidade, e que o declarante tem um prazo de até 30 dias para realizar a exportação após emissão da NF-e de exportação. Nessa operação, o câmbio é recebido diretamente pelo exportador, e não se considera exportação por conta e ordem a operação de venda de mercadorias para pessoa jurídica exportadora (exportação indireta).

ENTREPOSTO ADUANEIRO NA EXPORTAÇÃO

É o regime que permite depositar a mercadoria nacional ou nacionalizada em zona alfandegada ou não, destinada à exportação, ainda de propriedade do exportador ou do comprador do exterior, com suspensão dos impostos, até que aguarde a oportunidade de ser embarcada.

Os dois regimes mais utilizados no entreposto aduaneiro de exportação são:

- Regime comum – utilizado pelo próprio exportador, que deposita a mercadoria em recinto alfandegado credenciado (portos secos, CLIAs, terminais Redex, portos e aeroportos), de mercadoria destinada ao mercado externo.
- Regime extraordinário – utilizado pelas *trading companies*, devidamente regulamentadas pelo decreto-lei n. 1.248/1972 e autorizadas pela Secretaria da Receita

Federal, que deposita a mercadoria, destinada a embarque direto para o exterior em sua própria instalação, considerada zona secundária, e não alfandegada.

Na exportação, na maioria das vezes, a mercadoria é despachada diretamente do fabricante, produtor, ao terminal onde será efetuada a liberação aduaneira. Caso se faça necessário, poderá utilizar de terminais Redex que estão estrategicamente localizados próximo ao porto, quando se tratar de embarque marítimo. Nos casos aéreo ou rodoviário, a mercadoria poderá seguir diretamente ao aeroporto ou porto seco na fronteira. Somente será vantajoso utilizar o entreposto aduaneiro se a *trading company* tiver permissão de operar o Entreposto Extraordinário de Exportação que, como dito, permite a ficção jurídica do seu próprio armazém e, ao ingressar a mercadoria nesse local, esta é considerada exportada.

Como o Brasil é um mercado estratégico do ponto de vista logístico e de representatividade econômica na América do Sul, muitas importações chegam ao Brasil para que sejam distribuídas entre os países limítrofes, dessa maneira, é necessário entrepostar esse lote, para que parte seja nacionalizada daquilo que será destinado ao mercado interno, e as demais partes não nacionalizadas sejam devidamente re-exportadas aos países previamente estabelecidos.

EXPORTAÇÃO EM CONSIGNAÇÃO

Trata-se de exportação em consignação a saída de bens para outros países, com isenção de pagamento de impostos, em caráter temporário, com prazo para retorno e sem cobertura cambial. Atualmente, esse prazo predeterminado é de até 720 dias após embarque da mercadoria, permitindo, assim, aos exportadores submeter seus produtos a testes, demonstrações, análise de qualidade por parte do comprador, facilitando a comercialização e dando mais segurança ao comprador estrangeiro, que estará com a mercadoria já em seu país. É importante observar se o seu produto é passível de exportação em consignação, observando legislação específica e vigente.

Uma vez ocorrida a venda da mercadoria no exterior, tanto parcial quanto total, o exportador deverá realizar a emissão da fatura comercial para o fechamento de câmbio, ingressando no Brasil esse valor monetário correspondente à quantidade comercializada, devendo realizar a devida alteração junto à Receita Federal de "exportação em consignação" para "exportação definitiva". Dessa forma, a operação "sem cobertura cambial" será transformará em "com cobertura cambial". Caso a comercialização não seja realizada dentro do prazo estabelecido, a mercadoria poderá retornar ao Brasil sem tributação.

10º CAPÍTULO
"É TUDO UMA QUESTÃO DE LOGÍSTICA"

LOGÍSTICA NACIONAL E INTERNACIONAL

A logística, parte intrínseca do processo de exportação, é fator primordial para viabilizar suas operações de exportação. Dependente totalmente da nossa infraestrutura, ou seja, estradas, ferrovias, portos e aeroportos, que infelizmente foi negligenciada por muitos anos pelos políticos brasileiros, gerando altos custos, faz com que as empresas brasileiras percam muitos negócios mundo afora.

Independentemente do modal e da condição de venda, o exportador deve ter como premissa a redução desses custos logísticos, seja nacional ou internacional, para que se torne mais competitivo no contexto global.

Logística nada mais é do que gerir recursos, conciliando a entrega do produto correto, no local definido, na hora combinada, de acordo com as condições negociadas.

Estima-se que o custo para despachar uma mercadoria utilizando os modais rodoviário e marítimo, retirando de um fabricante do interior de São Paulo, embarcando pelo porto de Santos até o porto de Houston, nos Estados Unidos, seja o dobro, quando comparado com a mesma operação retirando do interior da China, embarcando por Shangai com destino a Houston. Esse é o chamado Custo Brasil, oriundo da falta de visão e baixo investimento público em nossa infraestrutura. Espera-se que, após todo o desenvolvimento que está sendo realizado pelo atual governo em parceria público-privada, com a privatização de portos, aeroportos, novas concessões de ferrovias, além do investimento contínuo na redução da burocracia, seja impreterível que associações de classes, representantes de diversos segmentos de exportadores, se sentem com administradores portuários, aeroportuários, companhias marítimas, companhias aéreas, transportadoras, enfim, com toda a cadeia logística, a fim de estudar maneiras de reduzir custos, para que de fato nos tornemos mais competitivos e possamos realizar muito mais negócios.

INCOTERM (CONDIÇÃO DE VENDA INTERNACIONAL)

Assim como no mercado interno, quando a mercadoria é adquirida do fornecedor, é negociada a condição de venda, podendo ser CIF, que significa entrega no endereço do comprador, ou FOB, que é quando o comprador contrata a transportadora para realizar a coleta no fornecedor. No comércio exterior também há diversas condições de venda a serem definidas durante a negociação internacional, que determinam os deveres e responsabilidades do exportador e do importador.

A versão mais atualizada dessas condições de venda, que chamamos de *Incoterm*, publicada pela Câmara Internacional de Comércio (ICC), é a de 2020, e engloba onze condições divididas em quatro grupos.

Neste capítulo explicarei o significado de cada uma das condições vigentes (2020), para que o exportador tenha embasamento para negociar e evitar qualquer tipo de disputa comercial e judicial por divergências na negociação.

Grupo "E" – Partida

No grupo "E", que engloba o *Ex works* (EXW), ou seja, na fábrica ou local designado, a mercadoria embalada e os documentos são disponibilizados ao importador estrangeiro no endereço do armazém do exportador ou do fabricante, caso o primeiro não seja o produtor. O custo da coleta (*pick up*), o desembaraço de exportação no Brasil, a movimentação alfandegária e o frete internacional (com pagamento no destino, ou seja, frete *collect*) são por conta do importador. A responsabilidade do exportador cessa na entrega da mercadoria ao agente de cargas, que faz a coleta no endereço designado. Porém, deve prestar ao importador e a esse agente de cargas no Brasil os documentos e informações necessários para o despacho aduaneiro para que ocorra o devido embarque da mercadoria.

Grupo "F" – Transporte Principal Não Pago pelo Exportador

Compõem esse grupo as seguintes condições de venda:

- FCA – *Free Carrier* (local designado);
- FAS – *Free Alongside Ship* (no cais do porto de origem);
- FOB – *Free on Board* (a bordo do navio).

No grupo "F", a mercadoria é disponibilizada pelo exportador no local, porto ou aeroporto de origem designado, cessando sua responsabilidade com a entrega desembaraçada da mercadoria. O custo de entrega nesse local e o desembaraço de exportação são responsabilidades do exportador, enquanto os custos do frete de coleta (quando necessário) e internacional (frete *collect*) são por conta do importador.

Grupo "C" – Transporte Principal Pago pelo Exportador

São componentes deste grupo:

- CFR – *Cost and Freight* (porto de destino designado);
- CIF – *Cost, Insurance and Freight* (porto de destino designado com seguro internacional);
- CPT – *Carriage Paid to* (local ou aeroporto de destino designado);
- CIP – *Carriage and Insurance Paid to* (local ou aeroporto de destino designado com seguro internacional).

No grupo "C", a mercadoria é disponibilizada pelo exportador no porto, local ou aeroporto de destino designado, e sua responsabilidade cessa com a entrega neste ponto. O custo de movimentação alfandegária na origem, o desembaraço de exportação e o custo do frete internacional (com pagamento na origem, ou seja, frete *prepaid*) são por conta do exportador. O desembaraço de importação no destino e as demais atividades para a nacionalização, até logística de entrega da mercadoria no endereço do destinatário, são atribuídos ao importador.

Grupo "D" – Chegada
São componentes deste grupo:

- DDP – *Delivered Duty Paid* (entregue no local designado, com impostos e despesas aduaneiras pagos);
- DPU – *Delivered at Place Unloaded* (entregue no local designado descarregado);
- DAP – *Delivered at Place* (entregue no local designado).

No grupo "D", de maneira geral, a mercadoria é disponibilizada no local ou endereço do importador no destino. O custo de movimentação alfandegária na origem e destino, o desembaraço de exportação, a entrega no local e o custo do frete internacional (frete *prepaid*) são por conta do exportador. A responsabilidade dele se encerra com a entrega da mercadoria no local ou endereço designado pelo importador estrangeiro. Por se tratar de uma responsabilidade maior em comparação com os demais grupos, sugiro evitar negociar nessas condições de venda (DDP/DPU/DAP). Considerando que os números de variáveis no destino são muitas, o risco de acontecer alguma divergência é grande.

Na fatura proforma, comercial ou em contratos, ao mencionar o *incoterm*, o local também deve ser informado. Na condição de venda EXW, deve-se informar o endereço do exportador ou armazém, e o mesmo ocorre na condição FOB, com o nome do porto de origem, na CFR, com o porto de destino, e assim por diante.

Os *incoterms* mais utilizados na exportação variam conforme o modal. Alguns exemplos são:

- Modal Aéreo: EXW, FCA, CPT ou CIP.
- Modal Marítimo: EXW, FOB, CFR ou CIF.
- Modal Rodoviário: FCA ou CIP.

É importante ressaltar que os *incoterms* não possuem relação alguma com a modalidade de pagamento da mercadoria. Ele deve sempre estar informado no contrato, nas faturas proforma e comercial, em todos os documentos envolvidos que mencionem a condição de venda, inclusive na carta de crédito, caso o pagamento seja feito por essa modalidade.

A função dos *incoterms* é promover a harmonia nos negócios internacionais, de modo que todos os envolvidos no segmento se compreendam. Por isso, esse tema deve ser de profundo conhecimento de todos os que fazem parte da operação.

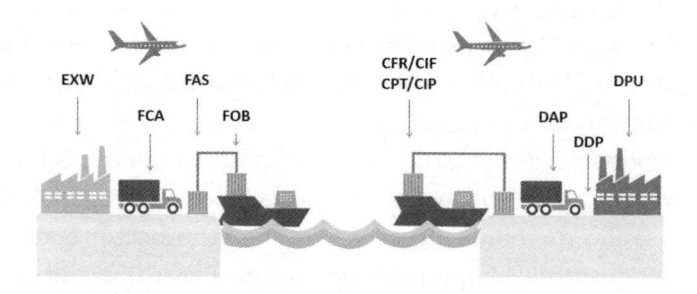

SEGURO INTERNACIONAL

A contratação do seguro internacional é facultativa e depende da condição de venda (*incoterm*) negociada entre o exportador e o importador. Àquelas que não têm seguro incluso, como EXW, FCA, FAS, FOB, CPT e CFR, o importador deverá providenciar a contratação do seguro internacional no destino antes do embarque da mercadoria, cabendo ao exportador fornecer os dados necessários para tal.

Nos casos de seguro contratado no Brasil, quando negociado nas condições de vendas CIF, CIP, DPU, DAP e DDP, o exportador poderá solicitar a sua averbação ao agente de cargas, responsável pelo frete internacional, caso este tenha uma apólice de seguro aberta, ou contratar uma seguradora diretamente. Ressalto que fica muito mais em conta contratá-lo de prestadores de serviços do que de seguradoras ou de corretores, pois eles cobram um prêmio maior em caso de exportações *spots*, que são pontuais. Com um volume de exportações frequentes já se viabilizaria uma apólice própria.

A contratação do seguro pode ter coberturas integrais ou parciais, da seguinte forma:

- Ampla A

Cobertura para quaisquer danos de causa externa, incluindo roubo da mercadoria.

- Ampla B

Garantia de prejuízo parcial e perda total da mercadoria em decorrência de acidente com o veículo transportador, como caminhão, navio, avião, podendo ter a cobertura de roubo incluída.

- Ampla C

Cobertura da perda total da mercadoria em virtude de acidente do meio de transporte, podendo ter também a cobertura de roubo considerada.

Demais coberturas podem ser contratadas à parte, como guerra, greve, catástrofes ambientais, entre outras.

Em caso de sinistro, a seguradora ressarcirá o valor acordado mediante apresentação de documentos comprobatórios, conforme cobertura contratada. Para que o ressarcimento seja efetuado, há uma série de procedimentos a serem adotados pelo importador no país de destino e pelo prestador de serviço, caso o seguro tenha sido contratado desse último.

Caso os procedimentos estabelecidos na apólice pela seguradora não sejam seguidos rigorosamente pelo importador, ela poderá negar o ressarcimento por quebra de protocolo. Dessa forma, é de extrema importância ter ciência dessas diretrizes e cumpri-las corretamente. Sugiro ao exportador que, ao contratar o seguro internacional de um agente de cargas, solicite uma cópia da apólice para leitura e uma cópia fiel da confirmação da averbação.

Durante todos esses anos atuando em consultoria e assessoria de exportações brasileiras, já presenciei muitos agentes de cargas que venderam o seguro, porém não averbaram o embarque com a seguradora. Outra situação comum era o produto estar dentro da lista de exceções, gerando grandes riscos ao exportador e ao importador. Se não houver contratação do seguro internacional e a mercadoria sofrer algum tipo de sinistro, infelizmente não há o que fazer.

Quando o seguro internacional é contratado pelo exportador, é comum enviar junto dos documentos originais da exportação o Certificado de Seguro Internacional (serão dados mais detalhes sobre esse certificado no decorrer desta obra), que conterá detalhes da averbação e cobertura. Em caso de sinistro, avaria ou extravio, o importador deverá acionar o representante da seguradora em seu país. O seguro internacional assegura somente sinistro, avaria ou extravio, mas não garante a qualidade ou qualquer outro tipo de vício do produto.

MODAIS DE TRANSPORTES

Uma das principais atividades na exportação é o transporte nacional e internacional de mercadorias. Sem isso, não seria possível realizar a transferência de um ponto ao outro. Para que o exportador possa ser competitivo, é de extrema importância o entendimento desse assunto, possibilitando a melhor contratação com o menor custo possível, a análise das vantagens, desvantagens, e o foco na viabilidade da operação para ambas as partes. Explicarei as características e os pontos principais de cada modal utilizado no comércio exterior a partir do Brasil. São eles: marítimo, aéreo e rodoviário. Existem outros modais, porém estamos focando nos principais das exportações brasileiras. O que definirá o melhor a ser contratado é o custo do transporte internacional, o tempo de trânsito (*transit time*), o prazo de recebimento da mercadoria de acordo com o seu planejamento e a sua natureza.

Devemos sempre atentar ao custo do frete internacional, que varia conforme o modal contratado, a condição de venda (incoterm), e influencia diretamente na competitividade dos produtos brasileiros tipo exportação.

Modal marítimo

O modal marítimo é realizado por meio de navios ou barcaças de todos os tamanhos, formatos, tipos e finalidades. A maioria das mercadorias exportadas do Brasil é transportada em contêineres, cujos tamanhos mais utilizados são de 20 pés – mais ou menos seis metros de comprimento – e de 40 pés – doze metros –, variando conforme a necessidade. Esse modal é utilizado para transportar volumes grandes e cargas pesadas, pois tem capacidade para percorrer longas distâncias, baixo risco de avarias nas mercadorias e custo de frete acessível.

Para a contratação do marítimo, é importante ter em mente que o tempo de trânsito (*transit time*) é longo e nada fará com que o navio chegue antes, pois o armador tem uma programação a cumprir. Seu custo, comparado com o modal aéreo, é baixo. Muitas exportações são viáveis atualmente devido a esse modal.

Modal rodoviário

O modal rodoviário é realizado por meio de caminhões, carretas e bitrens, e a diversidade de tamanhos e finalidades é extensa. Além disso, é muito utilizado nas exportações para os países do Mercosul ou da América do Sul, já que suas principais vantagens são a possibilidade de realizar a operação porta a porta, a flexibilidade na alteração de rotas, a facilidade de contratação e a organização do transporte e da capacidade de transportar grandes volumes e quantidades. O custo desse transporte internacional é relativamente próximo ao marítimo, que pode ser uma alternativa, porém a flexibilidade da operação porta a porta geralmente acaba fazendo prevalecer a escolha desse modal.

Modal aéreo

O modal aéreo é realizado por meio de aviões, tanto cargueiros quanto de passageiros, e é muito utilizado para transporte de volumes pequenos, cargas urgentes e com alto valor agregado. Seu uso vem crescendo ao longo dos anos, pois as companhias aéreas estão reduzindo suas tarifas em face do crescente tamanho das aeronaves e da consequente disponibilidade de espaço. Seu custo internacional é o maior dentre os demais, porém permite realizar vendas menores, evitando acúmulo de estoque e melhorando o fluxo de caixa financeiro por parte do comprador.

Nem todos os aeroportos do Brasil recebem aviões cargueiros. Por isso, muitas aeronaves que chegam/partem dos principais aeroportos brasileiros, como Viracopos e Guarulhos, recebem mercadorias desembaraçadas para exportação de aeroportos menores, que são removidas para os aeroportos maiores por meio do Despacho de Trânsito Aduaneiro (DTA) ou do Documento de Acompanhamento de Trânsito (DAT), que explicarei com mais detalhes nos próximos capítulos.

COTAÇÃO DE FRETE INTERNACIONAL

Aos exportadores que possuem um volume contínuo e mensal de exportações, é comum cotar os fretes internacionais com diversos agentes de cargas para embarques aéreos, marítimos e transportadoras para embarque rodoviário internacional, visando a um parâmetro de preço razoável. Cada modal requer diferentes informações a serem passadas para os agentes de cargas e transportadoras, possibilitando a realização de cotações com agilidade e precisão, permitindo ao exportador melhor tomada de decisão.

Além de explicar as informações necessárias para obter a cotação devidamente, mostrarei como funciona a contratação do frete internacional e quais pontos devem ser observados para evitar surpresas desagradáveis ou atrasos nos embarques.

Marítimo

Para a cotação do frete internacional marítimo, devemos sempre observar qual o *incoterm* negociado e qual a modalidade (FCL ou LCL) que será contratada, pois as informações variam de acordo com a escolha.

Uma breve explicação de cada uma:

- Para frete internacional, considerando o *incoterm* CFR ou CIF na modalidade FCL, é necessário informar o nome da exportadora, o nome da importadora (consignatário), o porto de origem no Brasil (POL), o porto de destino (POD) e o país, o tamanho do contêiner, caso o saiba, a previsão de prontidão da mercadoria para embarque, o peso bruto da carga, uma breve descrição do produto e a NCM.
- No caso de cotação na modalidade LCL, deve-se informar o nome da exportadora, o nome da importadora (consig-

natário), o porto de origem no Brasil (POL), o porto de destino (POD) e o país, a quantidade e tipo de volumes (como caixa de madeira, papelão, barril etc.), a dimensão, o peso bruto de cada volume embalado, uma breve descrição do produto e a NCM. Nesse caso, em algumas cidades brasileiras não portuárias, a exportação poderá ser desembaraçada em portos secos que serão designados pelo agente de cargas contratado.

Considerando o incoterm FOB nas modalidades FCL e LCL, indicam-se as mesmas informações, porém ressaltando que o frete internacional será pago (*collect*) no destino, pois dessa maneira, em caso de aprovação da cotação, o agente de cargas pedirá o aceite formalizado por parte do importador.

Caso haja alguma informação adicional relevante referente à cotação, informe ao agente de cargas, possibilitando que ele leve em consideração para realizar o cálculo devidamente.

O agente de cargas, em posse dessas informações, as envia ao armador, para que ele cote o frete internacional e devolva ao primeiro, que repassará ao exportador para análise e feedback. As cotações FCL são mais rápidas de elaborar, enquanto as LCL são um pouco mais demoradas, devido à necessidade de o agente de cargas muitas vezes utilizar *co-loader*[5] para essas cotações.

Ao receber a cotação do agente, é importante observar se os dados que constam coincidem com os transmitidos, além de analisar a tarifa do frete internacional, as taxas de origem, a porcentagem do *spread*, a rota, o transbordo (se haverá ou não), a validade da cotação, o *transit-time*, o armador e, nas cotações FCL, o *free-time* de *detention* (origem) e *demurrage* (destino).

---

5. *Co-loader* – agente consolidador de cargas, que contrata do armador o contêiner na modalidade FCL e realiza consolidações (LCL) de diversos exportadores no mesmo contêiner.

É muito comum que os agentes de cargas cobrem uma tarifa baixa de frete internacional e concedam um *transit-time* mais longo. Por isso, ao receber uma cotação de frete internacional, analise as tarifas e o *transit-time* cuidadosamente.

Após a aprovação da cotação do frete internacional ao agente de cargas do Brasil, ele solicitará o *booking* (reserva) ao armador (FCL) ou *co-loader* (LCL) para que o embarque seja providenciado. Dessa forma, o exportador deverá informar prontamente os dados de contato (nome, telefone e e-mail) do seu despachante aduaneiro para que o agente o inclua no *follow up*. Nos casos de frete *collect* (pago no destino) contratado no Brasil, será necessário informar os dados de contato do consignatário para que seja coletado o aceite formalizado por parte do importador.

Aconselho que o exportador obtenha o contato do agente de cargas do destino e o transmita ao importador. É importante também disponibilizar a fatura comercial referente ao embarque, que será enviada ao importador para esclarecer de qual produto ou pedido aquele embarque se trata.

Caso receba uma cotação do frete internacional que esteja confusa, contate o agente de cargas para esclarecer todos os pontos e formalizar o que foi conversado por e-mail. É comum que os agentes de cargas na modalidade LCL enviem cotações informando o custo do frete internacional por metro cúbico/tonelada ou w/m (w = *weight*/peso ou m = *metric*/metragem cúbica, o que for maior), mas, para os exportadores que não estão habituados a esses cálculos, isso pode se tornar muito confuso. Assim, são necessários esclarecimentos, ou que o valor *all in* (total) seja solicitado, facilitando o entendimento.

Os armadores no Brasil cotam frete internacional marítimo diretamente ao exportador, desde que este tenha um volume considerável. Porém, sugiro sempre utilizar agentes de cargas, pois conseguem dar um atendimento diferenciado ao exportador e são mais flexíveis.

Em caso de cotação de frete internacional de carga perigosa, é necessário enviar ao agente de cargas a Ficha de Informações de Segurança de Produtos Químicos (FISPQ) do produto em português, para que a cotação seja devidamente providenciada.

Detention (origem)

Trata-se da cobrança pela sobre-estadia do uso do contêiner na exportação (origem) quando extrapolado o *free time* (período livre) concedido pelo armador. Quando recebida a cotação do frete internacional marítimo do agente de cargas, essa informação deverá estar explícita; caso não esteja, o exportador deverá questionar e ter essa informação formalizada, além dos valores diários de *detention* em caso de incidência. Quando recebida a reserva (*booking*) do embarque, estarão informados nela os *deadlines* (prazos) a serem cumpridos tanto de entrega do *draft* do conhecimento de embarque quanto da carga desembaraçada entregue no terminal/porto de embarque, assim como do VGM (Peso Bruto Verificado).

Deve-se considerar que, dentro do prazo do *free time* concedido, o exportador deverá operacionalizar a exportação considerando todo o trâmite aduaneiro envolvido na operação, como a retirada do contêiner vazio do *depot* (terminal designado pelo armador), a estufagem do contêiner (ovação/colocação da mercadoria dentro do contêiner), a apeação (amarração dos volumes), em alguns casos a fumigação da embalagem, a mercadoria (quando necessário), a vistoria do fiscal do Ministério da Agricultura do Brasil (Mapa) para emissão do fitossanitário e entrega do contêiner cheio no porto em que ocorrerá o embarque da mercadoria.

Quando ultrapassado esse período concedido de *Free Time Detention* (FTD), o armador cobrará pelos dias excedidos. Trata-se de um valor cobrado por diária, em moeda estrangeira, geralmente, em dólar americano, dessa forma, os valores são consideravelmente altos.

Estufagem do contêiner

A estufagem do contêiner, também conhecida como ovação, é o ato de acomodar a mercadoria, geralmente embalada, dentro da unidade, utilizando-se da estrutura disponibilizada, como pontos de fixação localizados na parte inferior de ambos os lados internos (a cada um metro há um ponto), as próprias paredes dos contêiners, com sulcos para encaixes, e o chão de madeira, quando necessário.

Dessa forma, independentemente de a estufagem ser realizada no exportador, no armazém geral de terceiros ou em terminal retroportuário, é imprescindível que seja realizado um estudo prévio verificando o tipo de mercadoria, a embalagem, a fragilidade, o controle de temperatura (quando necessário), se pode empilhar ou não e como empilhar, o limite de empilhamento, se há volumes com tamanhos diferentes e pesos distintos, se será utilizado manuseio mecânico (empilhadeira, paleteira, *munck* etc.) ou manual, o limite de peso suportado pelo contêiner (esta informação está escrita na porta da unidade), assim como se no país destinatário há algum limite de peso específico, para que seja cumprido assertivamente. Também, dependendo do material a ser ovado, pensar na desova do contêiner quando chegar no destino, assim como na vistoria física pela Receita Federal, em caso de DU-E parametrizada em canal diferente do verde.

Quando retirar o contêiner vazio do terminal designado pelo armador ou agente de cargas, é necessário vistoriar essa unidade, verificando se não há furos nas laterais ou no teto, se a vedação das portas e as travas estão funcionando adequadamente. Caso se constate alguma irregularidade, é necessário substituí-lo prontamente. Dessa forma, quando efetuar a reserva do embarque, deve-se citar ao contratado o tipo de mercadoria (alimentos, produtos químicos, máquinas e equipamentos, bobinas de aço, entre outros) que será ovado nessa unidade para que ele libere contêiners específicos, conforme solicitado.

Durante ou após a estufagem, variando conforme o tipo de embalagem, a apeação (amarração) deve ser realizada utilizando-se filme *stretch*, cintas catracas ou simples, cabo de aço, cordas, calços de madeira (tratada), isopor, bolsas infláveis, todo esse aparato para preencher espaços vazios e evitar que a carga se movimente durante o trajeto de curto e longo curso.

Por fim, apesar de parecer uma atividade simples de operacionalizar, muitas vezes realizada de maneira amadora, há diversos cuidados, conforme citado, que devem ser levados em consideração tendo em vista que esta unidade percorrerá um longo caminho, seja nos modais rodoviários e, principalmente, marítimo, podendo passar por intempéries climáticas para que chegue ao destino com a mercadoria devidamente intacta, sem nenhuma surpresa desagradável.

Aéreo

Para cotação do frete internacional aéreo, devemos sempre observar qual o *incoterm* negociado. Considerando os *incoterms* CPT e CIP, deve-se informar o nome da exportadora, o nome da importadora (consignatário), o aeroporto de origem no Brasil (AOL), o aeroporto de destino (AOD), o volume, o tipo, as dimensões e o peso bruto de cada volume, a previsão de prontidão, uma breve descrição do produto e a NCM. No *incoterm* FCA, em vez de informar o nome da exportadora e o endereço de coleta, informa-se o aeroporto de origem ou o local, assim como as demais informações, porém ressaltando que o frete internacional será pago (*collect*) no destino, pois dessa maneira, em caso de aprovação da cotação, o agente de cargas pedirá o aceite formalizado por parte do importador.

Caso haja alguma informação adicional relevante referente à cotação, informe ao agente de cargas, possibilitando que ele leve em consideração para realizar a cotação devidamente.

O agente de cargas, em posse dessas informações, realiza os mesmos processos do item anterior, repassando finalmente para o exportador analisar e dar o feedback. Uma vez recebida a cotação, todas as recomendações anteriores são válidas: verificar se os dados coincidem e as tarifas e taxas que serão cobradas.

Assim como nas cotações de embarque marítimo, após aprovada pelo agente de cargas do Brasil, ele solicitará o *booking* (reserva) à companhia aérea para que o embarque seja providenciado. Dessa forma, o exportador deverá informar prontamente os dados de contato (nome, telefone e e-mail) do seu despachante aduaneiro, para que o agente o inclua no *follow up*. Nos casos de frete *collect* (pago no destino) contratado no Brasil, será necessário informar os dados de contato do consignatário para que seja coletado o aceite formalizado por parte do importador.

Aconselho que o exportador obtenha os dados de contato do agente de cargas do destino e os transmita ao importador. É importante também disponibilizar a fatura comercial referente ao embarque, que será enviada ao importador para esclarecer de qual produto ou pedido aquele embarque trata.

No que tange a cotações do frete internacional confusas, contate o agente de cargas para esclarecer todos os pontos e formalizar o que foi conversado por e-mail. Os agentes de cargas no modal aéreo geralmente enviam cotações informando o custo do frete internacional por peso ou peso taxado (*chargeable*). Para os exportadores que não estão habituados a cálculos, isso pode se tornar muito confuso e, por essa razão, são necessários esclarecimentos, ou que o valor *all in* (total) seja solicitado, facilitando o entendimento.

A cubagem do frete internacional para chegar ao volume cubado (*chargeable*) é calculada de modo diferente do marítimo. O cálculo é o comprimento do volume em metros multiplicado pela largura, pela altura e pelo fator de 167, resultando no volume cubado ou peso taxado.

As companhias aéreas no Brasil não costumam cotar o frete internacional diretamente ao exportador, mas, sim, por meio de agente de cargas, que é quem faz a intermediação entre aquele, a companhia aérea e o agente de cargas do destino.

Em caso de cotação de frete internacional de carga perigosa ou que contenha bateria ou ímã, é necessário enviar ao agente de cargas a Ficha de Informações de Segurança de Produtos Químicos (FISPQ) em português, para que a cotação seja devidamente providenciada. O custo de frete internacional para esse tipo de produto é mais alto do que para as demais mercadorias.

Rodoviário

Para cotação do frete internacional rodoviário, devemos sempre observar qual o *incoterm* negociado e a modalidade (FTL – *full truck load* ou LTL – *less truck load*) que será contratada. As informações variam de acordo com as modalidades e nem sempre a transportadora que faz frete FTL também faz LTL.

São dois os *incoterms* mais utilizados nos fretes internacionais rodoviários: FCA e CIP. Com o primeiro na modalidade FTL, é necessário informar o nome da exportadora, o endereço em que a mercadoria deverá ser coletada (pode ser diferente do endereço da exportadora) e onde deverá ser entregue uma vez em solo estrangeiro, a fronteira do Brasil em que deseja fazer o cruze (desembaraço), a quantidade de volumes, o tipo, as dimensões e o peso bruto de cada volume, a previsão de prontidão da mercadoria, uma breve descrição do produto e a NCM.

Caso o exportador entenda sobre caminhões, pode indicar o tipo ideal, mas é importante deixar a transportadora analisar a informação de acordo com o tamanho dos volumes e o tipo de mercadoria.

Considerando o *incoterm* CIP na mesma modalidade, a contratação do frete internacional e a cotação serão de responsabilidade do exportador.

Para ambas as modalidades, é crucial ter a informação da fronteira (entre Brasil e o país vizinho) em que será feito o cruze para manter o despachante aduaneiro do exportador e importador informados. Deve-se, ainda, verificar a quantidade livre de diárias na fronteira e, quando houver incidência, qual o custo por cada, já que muitas transportadoras colocam o valor delas nas últimas linhas e em fontes minúsculas. Outro ponto essencial é reforçar a proibição do transbordo da mercadoria durante o percurso, a fim de evitar avarias.

Já na cotação na modalidade LTL, serão passadas as mesmas informações da modalidade anterior, como quantidade, endereço de coleta e entrega e local de desembaraço na fronteira brasileira. É comum a mercadoria chegar à fronteira do lado brasileiro e ser descarregada no armazém da transportadora para aguardar a entrega de produtos de outras exportadoras, de modo a realizar o cruze de uma só vez. Questione isso à transportadora, pois há casos de espera de até 15 dias, atrasando consideravelmente a operação.

Independentemente da modalidade contratada, as transportadoras cotam o frete livre de carga e descarga. Ambas as funções são de responsabilidade do exportador e do importador.

Diferentemente do marítimo e do aéreo, citados anteriormente, as empresas de transporte cotam os fretes internacionais rodoviários diretamente ao exportador, sem o intermédio de terceiros.

Por fim, os agentes de cargas e transportadoras não são fiscalizadores. Eles coletam o que foi disponibilizado pelo exportador, mas não possuem autorização para realizar averiguação e abertura de volumes ou para conferir o que está dentro de cada embalagem. Somente embarcam o que receberam de fato.

FRETE RODOVIÁRIO NACIONAL E INTERNACIONAL

No frete rodoviário interno de mercadoria a ser exportada, devemos considerar que tipo de trânsito e modal serão utilizados no transporte internacional de longo curso, dessa maneira, o exportador poderá desenhar a melhor logística para sua exportação considerando custo *versus* benefício, além de prazo de cumprimento com os devidos *deadlines* (prazos) envolvidos na operação.

No modal aéreo, a mercadoria será transportada diretamente do exportador, fabricante ou produtor até o aeroporto de despacho ou de embarque, para que seja realizada a liberação aduaneira e a mercadoria possa seguir viagem rumo ao país importador. Nos casos em que o aeroporto no Brasil é de menor porte e não dispõe de rotas diretas de companhias aéreas cargueiras, essa carga, após desembaraço aduaneiro, deverá seguir para um aeroporto maior para que embarque devidamente na aeronave que fará o transporte internacional até o aeroporto de destino. Esse tipo de remoção entre aeroportos é chamado de trânsito aduaneiro, coordenado diretamente pelo agente de cargas junto à companhia aérea responsável pelo frete internacional contratado, independentemente do *incoterm* (condição de venda).

No modal marítimo, para embarques consolidados (LCL), a depender da localização geográfica do exportador ou fabricante, há a opção de transportar o seu lote de mercadoria a ser exportado diretamente ao terminal retroportuário (Redex), porto seco ou CLIA, designado pelo agente de cargas ou *co-loader*, onde será realizado o despacho aduaneiro. Esses mesmos agentes contratam transportadoras autorizadas, que realizam o trânsito aduaneiro desse lote ao terminal que realizará a estufagem e a consolidação do contêiner, com as demais cargas de outras exportadoras que terão como destino o mesmo porto.

Para embarques de FCL, há três opções de transporte rodoviário:

- Transportar a mercadoria diretamente do exportador, fabricante ou produtor até o porto de embarque para que essa carga seja estufada no contêiner, desembaraçada e em seguida despachada ao porto de destino.

- Retirar o contêiner vazio próximo ao porto, no terminal pulmão, conhecido como *depot*, designado pelo agente de cargas ou armador, levá-lo até o exportador ou fabricante para estufagem e, após finalizado, transportar o contêiner cheio até o porto de embarque para que seja desembaraçado e, em seguida, embarcado.
- Retirar o contêiner vazio próximo ao porto, no *depot* designado pelo agente de cargas ou armador, levá-lo até um porto seco, CLIA ou terminal alfandegado, sendo realizada, nesse meio-tempo, a entrega da mercadoria que será exportada nesse mesmo local, que recepcionará a mercadoria, efetuará a estufagem do contêiner, e após desembaraço aduaneiro, este será removido ao porto de embarque por meio de uma transportadora autorizada em realizar esse trânsito aduaneiro.

No modal rodoviário, para transportes internacionais (LTL ou FTL), também temos três opções:

- Transportar o lote de mercadoria até a transportadora que realizará o transporte internacional de longo curso e, no ato da chegada do caminhão ao terminal alfandegado da fronteira, entrar com a liberação aduaneira e, após desembaraço aduaneiro, o caminhão realizará o cruze entre países e seguirá seu destino.
- A transportadora poderá realizar a coleta diretamente no endereço do exportador, fabricante ou produtor, seguindo diretamente para a fronteira e, após a chegada no terminal, realizar a tramitação aduaneira necessária.
- O exportador poderá entregar a mercadoria a ser exportada no porto seco ou CLIA mais próximo, providenciar o desembaraço aduaneiro e, em seguida, a transportadora internacional poderá realizar a coleta dessa carga, seguir,

posteriormente, por meio de trânsito aduaneiro. Assim que chegar na fronteira, será somente conferido o lacre colocado no terminal de origem, para que possa seguir a viagem de acordo com o frete internacional contratado.

Diante do exposto, fica evidente que cada operação é uma operação e que ter conhecimento sobre cada etapa fará toda a diferença na sua logística e principalmente na gestão de custos. Nota-se que cada transportadora e terminais (Redex, portos secos, portos, aeroportos, entre outros) possuem suas particularidades, dessa forma, a realização de uma cotação previamente à execução e o alinhamento de datas com todos os envolvidos na operação serão primordiais para o cumprimento dos compromissos assumidos.

Trânsito aduaneiro

É o regime que permite o transporte de cargas, sob responsabilidade da Receita Federal, de um ponto a outro dentro do território aduaneiro brasileiro por meio de transportadoras autorizadas com as devidas licenças e por meio de terminais alfandegados, sejam eles portos, portos secos, terminais retroportuários, aeroportos ou fronteiras.

O trânsito e a movimentação de cargas destinadas à exportação podem ocorrer de cinco maneiras:

DAT – com base em Documento de Acompanhamento de Trânsito
Trata-se do trânsito aduaneiro entre dois pontos distintos, não jurisdicionados pela mesma unidade da Receita Federal (URF). Ex.: no porto seco de Curitiba-PR, o transportador manifesta o DAT, declarando o transporte de um lote ou mais de mercadorias, de um ou mais exportadores. A Receita Federal concede o trânsito, o depositário (porto seco, zona secundária) entrega as mercadorias à transportadora, que seguirá viagem até o porto

seco de Foz do Iguaçu-PR, onde o depositário (porto seco, zona primária) recepcionará a carga e, assim, a Receita Federal daquela jurisdição concluirá o trânsito aduaneiro.

MIC/DTA, TIF/DTA – com base em documentos de transporte manifestados no Pucomex

Trata-se de trânsito aduaneiro similar ao DAT, com início e conclusão de trânsito, de jurisdições diferentes, porém tratado via sistema Portal Único Siscomex amparado por documentos como MIC/DTA, TIF/DTA, que também acobertam o transporte internacional de cargas e a transposição de fronteira junto do conhecimento de carga, diferente do DAT, que não dá essa permissão.

ESPECIAL – Entrega para trânsito especial

Trata-se de trânsito aduaneiro sob procedimento especial, sem emissão de DAT, concedido nas ocasiões em que o ponto de início e o de conclusão de trânsito são da mesma jurisdição ou área de controle e ambos os locais são zonas primárias. É utilizado somente nos modais aéreo (aeroportos) e marítimo (portos).

SIMPLIFICADO – Entrega e recepção em trânsito simplificado

Trata-se de trânsito aduaneiro realizado em portos e fronteiras de grande movimentação, sem envolvimento direto da Receita Federal, manifestado via módulo de Controle de Carga e Trânsito (CCT) no Portal Único Siscomex, porém de interação somente do terminal entregador e recebedor. Ex.: quando se utiliza de terminal retroportuário para despacho aduaneiro e, após desembaraço, remove-se o contêiner para o terminal onde o navio atracará.

LIVRE, ENTREGA/RECEPÇÃO – Livre entrega ou recepção pelos intervenientes

Trata-se de trânsito aduaneiro registrado no módulo de Controle de Carga e Trânsito (CCT) no Portal Único Siscomex, aplicado em portos e aeroportos que tenham mais de um recinto e jurisdicionado pela mesma unidade da Receita Federal (URF). Ex.: sua mercadoria conteineirizada, desembaraçada, está no porto aguardando atracação do navio para o devido carregamento; por algum motivo, o navio atrasado omite a atracação nesse terminal, a fim de não perder o embarque, e solicita-se a remoção do contêiner para outro recinto, onde o navio atracará para não perder o embarque.

As opções de trânsito aduaneiro são diversas, cada unidade da Receita Federal (URF) tem como procedimento adotar uma ou mais opções como padrão, facilitando o entendimento e o cumprimento por parte de todos os envolvidos. Dessa forma, antes de escolher qual trânsito aduaneiro será o mais conveniente ao exportador, é importante verificar com seu despachante aduaneiro, agente de cargas e transportadoras qual o sugerido por eles para que os documentos da exportação sejam providenciados de acordo e, assim, a operação flua de maneira natural dentro dos prazos estabelecidos.

11º CAPÍTULO

"O QUE VOCÊ ACHA DE VENDER SEUS PRODUTOS E RECEBER O PAGAMENTO EM DÓLAR?"

RECEBIMENTO DO PAGAMENTO EM MOEDA ESTRANGEIRA

Para o exportador receber o pagamento da mercadoria do importador, deverá vender a moeda estrangeira designada na fatura proforma ou em qualquer outro documento referente à compra da mercadoria ao banco ou corretoras de câmbio autorizadas a operar pelo Banco Central do Brasil. Essa atividade é conhecida como "fechamento de câmbio", que nada mais é do que vender a moeda estrangeira para liquidar a negociação acordada com o comprador. É importante ressaltar que tudo isso é feito eletronicamente, pois não se deve comercializar a moeda estrangeira em espécie nesse tipo de transação.

CÂMBIO FIXO E FLUTUANTE

Os regimes de câmbio mais conhecidos em âmbito mundial são o fixo e o flutuante. Cada um possui suas vantagens e desvantagens. O câmbio fixo é aquele cujo valor da moeda estrangeira, geralmente o dólar americano (USD), é fixado pelo Banco Central do país. Assim, a moeda nacional passa a ter um valor fixo em relação à moeda-lastro designada pelo governo daquele país. É o sistema adotado pela China, por exemplo.

Já o regime de câmbio flutuante, adotado pelo Brasil, é aquele em que o mercado regula as taxas de câmbio por meio da lei da oferta e da demanda. Nesse sistema, podem ocorrer muitas variações das taxas de câmbio em intervalos curtos de tempo. Caso a oscilação exceda o limite estabelecido pelo governo, o Banco Central pode intervir por meio de operações de compra e venda de dólares americanos no mercado futuro (*Swap Cambial*[6]), visando evitar a desvalorização ou a valorização excessiva da moeda estrangeira.

MODALIDADES DE CÂMBIO

As principais modalidades de câmbio na exportação são "antecipado", "remessa direta (à vista e a prazo)", "cobrança documentária" e "carta de crédito". Cada modalidade demanda diferentes exigências documentais por parte das instituições financeiras, para que o fechamento do câmbio seja realizado de acordo com as regras do Banco Central do Brasil.

Antecipado

Para o fechamento do câmbio antecipado, é necessário enviar ao banco em que o exportador possui conta bancária, em nome da exportadora (pessoa jurídica) ou corretora de câmbio, a fatura proforma do pedido negociado com o comprador estrangeiro. Nela, devem constar as informações usuais, tais como dados do exportador e do importador, quantidade de itens, valor unitário por item, valor total, moeda negociada, previsão de embarque e canal bancário do exportador. Este último consiste nos dados bancários internacionais do exportador, nome do banco ou cor-

---

6. *Swap Cambial*: é um mecanismo de compra e venda de contratos futuros indexados em moeda estrangeira utilizado por bancos, em especial pelo Banco Central, na gestão da flutuação cambial e inflação.

retora, banco intermediário (quando houver), beneficiário (sendo ele mesmo), número da agência, número da conta-corrente, código *SWIFT* (obrigatório para qualquer país) e Iban (apenas para recebimento de remessas da Europa).

Para que o banco ou corretora de câmbio possa fechar esse câmbio e em seguida creditar os reais (R$) na conta do exportador, é necessário que a ordem de pagamento do exterior remetido pelo banco do importador esteja disponível. É importante ressaltar que, quando a ordem de pagamento está disponível, o exportador não precisa liquidar esse câmbio de imediato, tendo o prazo de até 90 dias para que seja realizado, desde que antes do embarque da mercadoria. A maioria dos exportadores executa o fechamento de câmbio prontamente para que tenha os recursos financeiros disponibilizados em conta-corrente o mais rápido possível, pois muitas vezes é dele que serão comprados matéria-prima, embalagem, entre outros materiais, para produzir o pedido de exportação em questão.

Remessa direta

Tratando-se do fechamento de câmbio "à vista", o banco ou corretora entende que a mercadoria já embarcou. No caso de recebimento "a prazo", entende-se que a mercadoria já foi entregue ao importador no país de destino. Dessa forma, faz-se necessária a apresentação da cópia fiel do conhecimento de embarque (BL, AWB ou CRT), fatura comercial, romaneio de carga e Declaração Única de Exportação (DU-E), averbada a instituição financeira para que o fechamento de câmbio seja efetuado.

Muitas exportadoras, para que possam ter uma garantia do recebimento do câmbio, no câmbio "à vista" especificamente, realizam o envio dos documentos originais ao importador somente após o recebimento do pagamento do exterior. Já no câmbio "a prazo", é necessário que se tenha um bom relacionamento com o importador e a certeza de que não terá problemas em receber o pagamento da mercadoria para que se opte ou aceite essa opção. Essa modalidade é muito utilizada em transações de empresas que pertençam ao mesmo grupo econômico. Como o próprio nome diz "remessa direta", essa negociação é efetuada entre importador e exportador diretamente, sem a avalização ou responsabilidade por parte das instituições financeiras.

Cobrança documentária

Diferentemente da remessa direta, a cobrança documentária aparece como alternativa, trazendo mais segurança de recebimento do pagamento da mercadoria, pois há a figura do banco não somente como um agente operacional, mas também de gestor que, em posse dos documentos originais da exportação (conhecimento de embarque (BL, AWB ou CRT), fatura comercial, romaneio de carga e demais certificados, quando necessário), recebidos do exportador, após embarque da mercadoria, emitirá uma "letra de câmbio", também conhecida como "cambial" ou "saque", e enviará esses documentos ao banco cobrador, sendo o banco do próprio importador estrangeiro que ficará responsável por efetuar a entrega dos documentos ao importador e pela cobrança de acordo com o acordado entre as partes (exportador e importador). Para que o importador retire esses documentos originais do banco, ele deverá efetuar o pagamento da mercadoria quando se tratar de pagamento à vista ou assinar o saque reconhecendo a existência de uma cobrança futura que deverá ser honrada em seu vencimento quando se tratar de pagamento a prazo. Note que, mesmo se tratando de operação tendo o banco como gestor, este não é avalista da operação, dessa maneira, o risco de inadimplência existe. Essa operação também é conhecida como CAD (*cash against documents*), que significa que o pagamento será efetuado após apresentados os documentos originais da exportação.

Sem cobertura cambial

No subcapítulo "amostras", expliquei sobre exportação de amostras e mencionei a frase "sem cobertura cambial" (em inglês, *no commercial value*). Essa denominação refere-se a uma modalidade de pagamento em situações específicas, como doação, retorno de garantia ou substituição do lote, envio de catálogos, amostras sem cobrança ou qualquer exportação sob regime especial, em que o pagamento da mercadoria não é cobrado pelo fornecedor. Logo, não haverá transação de pagamento de mercadoria entre exportador e importador. Isso deverá ser informado na fatura proforma ou comercial quando realizada a exportação, seja via *courier* (simplificada) ou formalmente. Essa informação será declarada no campo "códigos de enquadramento" da Declaração Única de Exportação (DU-E) para que a mercadoria seja embarcada corretamente dentro dos padrões exigidos pela Receita Federal do Brasil.

Outro ponto importante é que os valores unitários e totais dos itens em moeda estrangeira devem constar normalmente na fatura proforma e em reais (R$) na nota fiscal de exportação (NF-e), consequentemente, na Declaração Única de Exportação (DU-E), mesmo sem haver pagamento da mercadoria, para que o despacho aduaneiro seja efetuado de acordo.

SWIFT

O sistema utilizado pelos bancos para a realização de transferências internacionais é o *SWIFT*, que necessita de informações obrigatórias para o envio e recebimento de remessa internacional.

Uma vez realizada a operação, o banco ou a instituição financeira utilizada para o fechamento de câmbio pelo importador disponibilizará uma cópia do extrato do *SWIFT*, que é um documento em língua inglesa que comprova que a remessa foi efetuada de acordo e que os recursos serão disponibilizados na conta bancária internacional informada pelo exportador. Assim, ao efetuar o fechamento de câmbio com a instituição financeira brasileira, um contrato de câmbio será gerado. A ordem de pagamento da transação estará disponível para liquidação após um ou dois dias do pagamento (D+1 ou D+2) do exterior ao Brasil, a depender do contratado pelo importador junto ao banco remetente.

Antes de realizar qualquer fechamento de câmbio, sugiro que confirme com o banco ou corretora se os dados bancários da ordem de pagamento disponível estão corretos, pois, em caso de alguma informação pendente ou caractere ausente ou divergente, o beneficiário poderá não receber os recursos.

Havendo divergências, será necessário retificar o *SWIFT*, atrasando o recebimento do câmbio e gerando custos desnecessários, uma vez que as instituições financeiras cobram valores importantes para realizar qualquer tipo de alteração. Um dos erros comuns cometidos pelos bancos estrangeiros é abreviar o nome da empresa brasileira quando deveria ser escrito por extenso. Parece bobagem para nós, porém os bancos no Brasil não autorizam o crédito dos recursos na conta do exportador em caso de constatação de qualquer divergência.

SEGURO DE CRÉDITO À EXPORTAÇÃO

O Seguro de Crédito à Exportação, também conhecido como SCE, é uma maneira de o exportador se resguardar quanto aos riscos inerentes ao recebimento do pagamento do exterior, no caso de o comprador não honrar com seus compromissos previamente acordados. Com cobertura ampla, quanto a riscos comerciais, políticos e extraordinários, permite ao exportador a segurança e a alavancagem das operações de exportação, considerando que uma das maiores preocupações do exportador é a inadimplência.

O SCE cobre financiamentos concedidos por qualquer banco, público ou privado, nacional ou estrangeiro, sem restrições de bens ou serviços, independentemente do país importador, com coberturas nas modalidades pré-embarque, pós-embarque ou concomitantemente.

Por meio da Agência Brasileira Gestora de Fundos Garantidores e Garantias S.A. (ABGF), que é o órgão competente e responsável pela concessão, subordinado à Secretaria de Assuntos Internacionais (SAIN), vinculado ao Ministério da Economia, com amparo do Fundo de Garantia à Exportação (FGE), o exportador realiza um cadastro on-line (http://www.abgf.gov.br), no qual deverá inserir as informações relativas às operações de exportação, para que seja realizado o cálculo do prêmio e da cobertura. Note que é cobrada uma tarifa de análise e, uma vez aprovado, será emitida a cobrança desse prêmio, para que seja efetuado o pagamento e, assim, suas operações estarão cobertas.

A ABGF disponibiliza seguro específico às micro, pequenas e médias empresas, com emissão de uma apólice mais simples e sem a exigência de apresentar garantias. Dentre as garantias de mercado vinculadas às vendas para outros países, essa modalidade apresenta o menor custo. Há a opção de SCE de seguradoras privadas com maior custo e burocracia.

Trata-se de um mecanismo de fácil contratação, sem exigir conteúdo mínimo de produção nacional. Infelizmente, é pouco conhecido e utilizado pelos exportadores brasileiros, devido ao desconhecimento por parte dos empresários e gestores.

DETALHES SOBRE CÂMBIO E CONTROLE

O fechamento de câmbio poderá ser efetuado com o banco em que a empresa possui conta-corrente ou por meio de corretoras de câmbio. Algumas instituições financeiras possuem um sistema eletrônico pelo qual o processo é efetuado on-line ou por meio da mesa de câmbio. Geralmente, as tarifas dos bancos são maiores que as das corretoras, que, além disso, dão um atendimento diferenciado ao exportador. Vale lembrar que, por não possuir uma conta-corrente com a corretora, antes de efetuar qualquer fechamento de câmbio, será necessário realizar um cadastro com ela. Tanto as corretoras quanto os bancos seguem um procedimento estipulado pelo Banco Central do Brasil e passam por auditorias constantemente. O regulamento seguido rigorosamente é o Regulamento do Mercado de Câmbio e Capitais Internacionais (RMCCI).

Ao fazer um fechamento de câmbio, existe um banco intermediário. Quando o câmbio é em moeda americana (dólar americano), ele passa por Nova Iorque, Estados Unidos da América; quando é em euro (moeda da União Europeia), passa por Londres, Inglaterra, e esse banco intermediário cobra uma tarifa. Quando informado na fatura proforma ou comercial que a operação é SHA, significa que a tarifa do banco intermediário será cobrada do exportador/beneficiário; quando menciona OUR, a cobrança dessa taxa será do importador/remetente.

Em caso de fechamento de câmbio pelo importador ao exportador em D+1, significa que a ordem de pagamento dos recursos remetidos em moeda estrangeira estará disponível ao exportador/beneficiário para liquidação no dia seguinte; em D+2, dois dias depois.

Quanto à taxa de paridade ou conversão (USD/R$, EUR/R$) paga à instituição financeira para o fechamento de câmbio, na verdade, as instituições compram a moeda estrangeira dos exportadores. Assim, adquirem por um valor abaixo do dólar comercial e ganham essa diferença chamada de *spread*. Assim, antes de fechar qualquer operação de câmbio, sugiro perguntar ao banco quais serão a taxa de paridade e a taxa para gerar o contrato, possibilitando um comparativo real do custo. Há instituições financeiras autorizando o fechamento de câmbio on-line, dizendo não haver taxa para gerar o contrato. No entanto, pagam um valor menor pela moeda estrangeira, por isso deve-se analisar cada detalhe antes de realizar esse processo.

É de suma importância, logo após fechar o câmbio e receber o contrato por e-mail, *internet banking* ou qualquer outro sistema, realizar a coleta das assinaturas e devolver o contrato assinado à instituição financeira. A maioria dessas instituições aceita assinaturas nos contratos de câmbio por meio do Certificado Digital e-CNPJ, por ser em nome de pessoa jurídica, possibilitando agilidade e menos burocracia no processo.

Em razão do Comunicado Bacen n. 20.503 de 18.01.2011, as exportadoras, por meio de seus despachantes aduaneiros e comissárias de despachos, foram dispensadas de vincular o contrato de câmbio à Declaração Única de Exportação (DU-E). Porém, eventualmente, ou em determinadas ocorrências ou processos administrativos, o Banco Central do Brasil ou a Receita Federal poderão exigir a apresentação da respectiva documentação comprobatória.

Como não há mais necessidade de vincular o contrato de câmbio à DU-E, os bancos e demais instituições financeiras que atuam no mercado cambial estão mais rigorosos e exigentes, requisitando mensalmente o número da Declaração Única de Exportação referente a cada câmbio liquidado. Por isso, recomendo ao exportador que realize esse controle, podendo ser no seu sistema ERP ou por meio de uma planilha no Excel em que, a cada câmbio fechado de exportação, sejam lançados na planilha data de fechamento, importador/comprador, valor em moeda estrangeira, valor em reais, taxa de paridade e o número da Declaração Única de Exportação com sua data de registro, assim que estiver disponível, para os casos dos câmbios "antecipado" e "remessa direta (à vista)"; já no câmbio a prazo, as informações devem ser lançadas ao contrário, começando pelo número da

Declaração Única de Exportação. Dessa maneira, você terá o controle cambial e poderá informar ao banco ou qualquer outra instituição sempre que solicitado. A não notificação pode acarretar suspensões de fechamentos futuros, prejudicando as operações e possibilitando que o exportador sofra as sanções previstas na legislação em vigor.

INSTITUIÇÕES FINANCEIRAS

As instituições financeiras autorizadas pelo Banco Central do Brasil a operar no mercado de câmbio são os bancos múltiplos, comerciais, caixas econômicas, bancos de investimento, de desenvolvimento, de câmbio, agências de fomento, sociedades de crédito, corretoras de títulos e valores mobiliários, distribuidoras de títulos e valores mobiliários e corretoras de câmbio.

Bancos

Os bancos no mercado cambial, além de atuarem sem limites de valor, oferecem uma gama de modalidades de operação, como financiamentos e cartas de crédito. Oferecem também as modalidades de câmbio principais citadas anteriormente, além de realizarem adiantamentos sobre contratos de câmbio e operações no mercado futuro, em dólar, na bolsa de valores.

Corretoras de câmbio

Também conhecidas como casas de câmbio, atuam exclusivamente no mercado cambial, intermediando operações entre bancos e clientes ou vendendo e comprando moedas estrangeiras, seja em espécie ou por meio de fechamento de câmbio. Diferentemente do banco, operam na exportação, principalmente, nas modalidades de câmbio antecipado e remessa direta (à vista e a prazo), e são limitadas a realizar operações de até USD 300.000,00 ou o seu equivalente em outras moedas. As corretoras de câmbio vêm conquistando muito o mercado cambial por conta do seu atendimento personalizado e diferenciado.

CARTA DE CRÉDITO

A carta de crédito, em inglês *letter of credit* ou L/C, é uma modalidade de pagamento muito difundida e utilizada no comércio internacional na aquisição de bens e mercadorias. Constitui-se de um contrato, por escrito, emitido por um banco geralmente no país do importador, considerado o "banco emissor", com aval de outro banco no país do exportador, sendo o "banco avisador" em nome de um "beneficiário", que é o exportador, por solicitação e devidas instruções de um importador denominado "tomador".

Quando se tratar de uma exportação triangular, envolvendo um terceiro país diferente do país do comprador, poderá ser incluído um terceiro banco na operação chamado de "banco confirmador", que honrará o pagamento em caso de inadimplência por parte do banco emissor.

Na minha opinião, esta modalidade deve ser utilizada em recebimentos de valores consideráveis, acima de pelo menos USD 50.000,00, para que seja vantajoso ao exportador e ao importador, devido à burocracia e aos custos fixos ou em percentual, envolvidos na sua abertura, emissão e liquidação.

Essa categoria normalmente é exigida pelo importador quando ainda não existe uma relação de confiança entre ele e o exportador e quando o comprador deseja realizar o pagamento após embarque da mercadoria na origem, nas condições à vista ou a prazo.

No pagamento à vista, o exportador receberá o valor acordado mediante entrega dos documentos originais ao banco no Brasil, desde que estejam completos, sem irregularidades e dentro do prazo estabelecido.

Na condição a prazo, receberá conforme o prazo acordado durante a negociação e descrito na carta de crédito, da mesma forma, desde que cumpridas todas as cláusulas.

É um instrumento que visa garantir o pagamento ao segundo e ao mesmo tempo dar segurança ao primeiro, que receberá a mercadoria de acordo com as condições negociadas entre as partes. Esses aspectos comerciais, administrativos, seguro e transporte internacional são estabelecidos nas cláusulas do contrato da carta de crédito, e o exportador deverá cumprir rigorosamente cada uma, como documental, prazo de fabricação e embarque, envio dos documentos via banco e o que mais for negociado. Também dá resguardo quanto ao risco-país, por ser uma modalidade firmada entre bancos.

Em caso de descumprimento de qualquer condição previamente estabelecida (discrepância), custos serão cobrados do exportador. Devido à tramitação documental envolvida nessa modalidade, há uma lentidão na liquidação, pois os bancos se certificarão de que todas as condições acordadas foram cumpridas corretamente antes de realizar qualquer pagamento. É importante lembrar que os bancos intervenientes na carta de crédito trabalham somente com documentos e não se responsabilizam pela qualidade da mercadoria embarcada.

Simplificando, a seguir temos uma explicação de como funciona essa operação, considerando pagamento à vista:

- Abertura do crédito
  Após os contatos preliminares, o importador (tomador) solicita ao seu banco correntista a abertura de um crédito em favor do exportador (beneficiário).
- Emissão da carta de crédito
  O banco do importador emite a carta de crédito e comunica ao banco do país do exportador a sua existência.
- Comunicação do crédito
  O banco avisador, localizado no Brasil, comunica o exportador sobre a chegada da carta de crédito e suas condições.
- Embarque
  O exportador providencia a fabricação (quando necessário) e o embarque da mercadoria.

- Documentos e pagamento
  O exportador entrega os documentos exigidos ao banco no Brasil, que os recebe, os examina e, se estiverem em ordem, efetua o pagamento.
- Documentos
  O banco avisador remete os documentos ao banco emissor, do importador.
- Documentos e reembolso
  O banco entrega os documentos ao importador e efetua a cobrança e o reembolso do pagamento efetuado na origem.
- Desembarque
  O importador, de posse dos documentos, aguarda a chegada da mercadoria, após a qual efetua o desembaraço aduaneiro e a recebe.

Apesar de toda movimentação documental e esforço envolvido em cumprir com todos os detalhes, é a modalidade mais eficiente e segura nas transações entre nações.

Tipos e características de cartas de crédito

Há vários tipos de cartas de crédito e características que devem ser negociados entre importador e exportador, previamente à formalização do pedido. Ressaltarei as principais a fim de esclarecê-las e transmitir conhecimento suficiente ao exportador para melhor tomada de decisão.

Revogável

Permite ser alterada (emendada) ou cancelada pelo banco emissor, por solicitação do importador (tomador), sem aviso prévio ao exportador (beneficiário), desde que a mercadoria não tenha sido embarcada e os documentos não tenham sido entregues ao banco avisador. Caso tenham sido entregues, sem discrepância (divergência/erro), a condição de revogável se alterará automaticamente para irrevogável.

Quando se tratar de carta de crédito revogável, essa informação deverá ser mencionada no texto do contrato.

Irrevogável
Não permite ser alterada (emendada) ou cancelada pelo banco emissor, por solicitação do importador (tomador), sem autorização prévia do exportador (beneficiário), dessa maneira, há um compromisso definitivo de pagamento por parte do banco emissor perante o banco avisador, desde que os documentos sejam entregues ao banco avisador, cumprindo com toda a documentação e condições firmadas.

Quando não houver menção explícita de que o crédito é revogável, considera-se que a carta de crédito é irrevogável. A fim de evitar divergências, sugiro que seja mencionado em seu texto que se trata de condição irrevogável.

Transferível
Permite transferir o crédito de maneira parcial ou total, para um ou mais beneficiários. É permitida essa transferência uma única vez, ou seja, o receptador não pode repassar esse crédito a terceiros. Não se trata de endosso, dessa maneira, deve ser realizada por um banco autorizado. Usufruem dessa prática, em sua maioria, exportadores pertencentes a um grupo econômico e *trading companies*.

Quando se tratar de carta de crédito transferível, essa informação deverá ser mencionada no texto do contrato.

Intransferível
Não permite que o beneficiário transfira o crédito para terceiros. Quando não houver menção explícita de que o crédito é transferível, considera-se que a carta de crédito é intransferível. A fim de evitar divergências, sugiro que seja mencionado no texto que se trata de condição intransferível.

Confirmada

Trata-se de condição de pagamento assegurado por um outro banco, geralmente estabelecido em outro país, denominado banco garantidor, ou seja, em caso de inadimplência de pagamento por parte dos bancos envolvidos (emissor/avisador), esse terceiro banco garantirá o pagamento acordado, desde que as condições tenham sido estritamente cumpridas.

Divisível

Permite embarques parciais da mercadoria, atrelados ao pagamento do montante exportado. A informação autorizando embarques fracionados ou não deverá constar na carta de crédito; em caso de ausência dessa menção, considere que embarques parciais são permitidos.

Restrita

Indica especificadamente em qual banco os documentos deverão ser apresentados pelo exportador; em caso de ausência dessa informação, o beneficiário poderá negociar o crédito e entregar os documentos para qualquer banco de seu interesse. Em caso de indicação de banco específico, caso haja interesse de alteração, o banco emissor deverá autorizar e proceder com a liberação da restrição.

Transbordo

Permite transbordar a mercadoria (carga e descarga) em pontos diferentes, como portos, aeroportos e fronteiras, desde que utilizado o mesmo modal de transporte e conhecimento de embarque. Em caso de não autorização de transbordo, essa informação deverá ser mencionada no texto do contrato.

Note que utilizar desse instrumento de recebimento de pagamento da mercadoria exportada exige do exportador (beneficiário) e demais envolvidos na operação, como despachante aduaneiro, entre outros, a devida atenção aos diversos detalhes e especificações técnicas a serem cumpridas de maneira estrita a fim de evitar constrangimentos e custos desnecessários.

Análise prévia da carta de crédito

Analisar cuidadosamente o *draft* da carta de crédito é fundamental para que a exportação seja realizada rigorosamente, conforme previamente acordado entre as partes, para que possam ser cumpridos todos os requisitos documentais, prazos e embarque, garantindo o pagamento ao exportador sem nenhum tipo de surpresa, além do recebimento dos documentos originais e da mercadoria pelo importador, conforme acordado. A carta de crédito será exatamente o espelho do negociado.

Existe um mito de que, caso seja recebido o pagamento do exterior mediante carta de crédito, o pagamento ao exportador estará garantido, mas não é bem assim que a coisa funciona. Da mesma forma que a carta de crédito pode ser segura para ambos, o descumprimento de alguma exigência poderá emperrar o pagamento ao exportador e gerar uma série de transtornos inesperados.

Apesar da suma importância ao exportador, essa conferência deverá ser feita de maneira criteriosa e, infelizmente, isso é negligenciado por muitos exportadores. No ato dessa análise, é primordial que o responsável pela exportação, após receber essa prévia, sente-se com os demais profissionais envolvidos na operação, tais como os responsáveis por compras, produção, logística e, quando necessário, com o próprio despachante aduaneiro, a fim de conferir item a item e se certificar que, de fato, conseguirão cumprir rigorosamente com o solicitado. Caso encontre alguma irregularidade ou algo que não seja possível cumprir, deve comunicar imediatamente o importador, para que ele solicite as devidas correções junto ao banco emissor. Quaisquer correções negociadas entre exportador e importador, sem o aceite do banco, não terão validade alguma. Após receber o *draft* (rascunho) corrigido, deve analisar novamente antes de dar o aceite final.

Os pontos primordiais a serem analisados são: natureza da carta de crédito (irrevogável, intransferível, entre outras), dados completos do exportador e do importador, com endereço, condição de venda (*incoterm*) e local, descrição da mercadoria negociada, quantidade por item, tipo de embalagem e exigência específica para esse quesito, como fumigação e tratamento, quando se tratar de embalagem de madeira, peso líquido e bruto, prazo final para embarque da mercadoria e modal, prazo de entrega dos originais ao banco, valor do crédito e moeda negociada, forma de pagamento (à vista ou a prazo), beneficiário com canal bancário (*SWIFT*, conta bancária etc.), aeroporto/porto/local de embarque e de descarregamento/destino/entrega, permissão para embarques parciais ou não, permissão de transbordo e conexões e restrição de transbordar em algum porto/local ou país, documentos que deverão ser entregues ao banco (conhecimento de embarque, fatura comercial, romaneio de carga, certificados etc.), quantidade de vias originais e não negociáveis e língua estrangeira em que deverão ser emitidos, necessidade de inspeção da produção ou pré-embarque e qual empresa será responsável por esse serviço e qualquer outra informação relevante para ambas as partes.

É comum, diante das negociações entre países, ser realizada comumente em outra língua, como inglês e/ou espanhol, e, por não se tratar da língua-mãe dos exportadores brasileiros e, em alguns casos, nem mesmo do importador, ocorrer falta de comunicação ou até mesmo alguma divergência não esclarecida, e infelizmente esse erro aparecer após realizada a operação.

Devo ressaltar que os bancos são extremamente inflexíveis e rigorosos em suas análises, não havendo argumento contra uma discrepância.

A carta de crédito é uma ordem de pagamento custosa, burocrática e condicionada, ou seja, o exportador só terá direito ao recebimento do pagamento desde que atenda a todas as exigências por ela firmadas.

FINANCIAMENTOS ÀS EXPORTAÇÕES

Há diversas linhas de financiamentos às exportações brasileiras. Por meio de uma política comercial, o governo incentiva as exportações de olho no superávit da balança comercial, tendo como principal foco a injeção de recursos do exterior no mercado interno, desenvolvendo, assim, nossas indústrias, o comércio e a economia de maneira geral.

Diante desses financiamentos disponíveis no mercado, que serão discorridos a seguir, o exportador alcançará maior competitividade dos seus produtos no mercado internacional, motivando as empresas nacionais a ingressar no mercado externo com segurança, constância e visão de longo prazo.

Muitos empresários desconhecem esses financiamentos, primeiro, devido à má comunicação por parte das instituições para com a sociedade, e segundo, devido à falta de interesse por parte de muitos, diante de crenças limitantes existentes sobre a operação de exportação.

Adiantamento sobre Contrato de Câmbio (ACC)

O Adiantamento sobre Contrato de Câmbio (ACC) é um dos mecanismos mais utilizados nos financiamentos às exportações. Esse financiamento pode ser utilizado na fase de produção ou pré-embarque da mercadoria.

Para obter essa linha, é necessário que o exportador busque o banco que possui a conta-corrente de sua indústria ou exportadora para realizar a negociação. O banco analisará o seu limite de crédito, as operações de exportações que serão realizadas, os destinos, entre outros. Após a negociação, será celebrado um contrato entre as partes, lastreado pelo contrato de câmbio futuro.

Dessa forma, o exportador receberá do banco o adiantamento do valor em reais, equivalente ao montante a ser exportado. Sendo assim, além de obter o capital para adquirir matéria-prima, embalagem etc. para a produção, o exportador também fixará a taxa de câmbio das suas operações, minimizando o risco da flutuação cambial. Caso a exportação seja indireta, o fabricante (exportador indireto) também poderá usufruir desse mecanismo por meio do ACE indireto.

Adiantamento sobre Cambiais Entregues (ACE)

O Adiantamento sobre Cambiais Entregues (ACE) é um mecanismo similar ao ACC, porém contratado em outro momento, no da comercialização ou no pós-embarque da mercadoria.

Após confirmação de embarque, o exportador, de posse dos documentos da operação e das cambiais (saque), realizará a entrega ao banco e, em seguida, celebrará um contrato de câmbio para liquidação futura.

Dessa forma, o exportador receberá do banco o adiantamento em reais do montante exportado.

12º CAPÍTULO
"O MERCADO EXTERNO NÃO É PARA AMADORES"

AUDITORIA DO EXPORTADOR E/OU FABRICANTE/PRODUTOR

Conforme comentado anteriormente, há diversas maneiras de desenvolver clientes no exterior. Porém, antes do primeiro pedido de compra por parte do importador, é comum terem uma pulga atrás da orelha sobre a real idoneidade do exportador brasileiro, da capacidade de produção e da entrega do produto. No mundo globalizado em que vivemos, é possível obter muitas informações pela internet, mas muitos prezam por um ou mais encontros pessoais para ter a certeza e segurança de que o fornecedor brasileiro é de fato idôneo e tem competência técnica para cumprir com as exigências do comprador estrangeiro.

Diante dessa demanda, surgiram as empresas de auditoria de exportadores e/ou fabricantes, responsáveis por verificar a saúde financeira do fornecedor por meio de análises da capacidade de produção, referências comerciais, controle e certificações de qualidade e legitimidade dos documentos pertinentes, cuidados com o meio ambiente, instalações, condições de trabalho e, em alguns casos, contato com órgãos competentes locais. Elas seguem um padrão determinado pela própria instituição, e o importador poderá solicitar auditorias sob encomenda (*taylormade*). Nessas sessões, também são confrontadas as informações fornecidas anteriormente ao importador, para verificar se o exportador não se contradiz. Esse tipo de auditoria é de extrema relevância para o importador estrangeiro realizar o primeiro pedido junto ao exportador brasileiro.

INSPEÇÃO PRÉ-EMBARQUE

Uma das preocupações do importador estrangeiro é garantir que a mercadoria foi fabricada de acordo com o determinado no pedido de compra, fatura proforma ou contrato. Para haver segurança, e dependendo da política de compra dessas empresas, contratam a inspeção da mercadoria antes do embarque, mais conhecida como inspeção pré-embarque ou *pre-shipment inspection* (PSI). Esse tipo de serviço é muito difundido nos países asiáticos e latino-americanos, e os importadores contam com empresas de inspeção multinacionais, como a SGS, a Intertek, a KC Company, entre outras. A inspeção é muito utilizada em países duvidosos e, principalmente, nas primeiras compras de um novo fornecedor. Havendo êxito na qualidade e após construir um relacionamento com o exportador brasileiro, o importador terá mais segurança e, com o tempo, acabará não contratando mais esse serviço.

Antes de dar início à produção ou compra no mercado interno, certifique-se com o seu cliente importador se haverá inspeção pré-embarque para que se organize para isso; assim, seu time e toda a empresa entenderão a importância da qualidade e que deverão cumprir com todos os requisitos solicitados, além de comunicar toda a fábrica sobre a relevância do pedido, caso o exportador não seja o fabricante. A inspeção deve ser realizada antes de a mercadoria ser embalada, para haver acesso ao produto interno. Nos casos em que o importador realiza pagamento antecipado parcial para que o exportador compre a matéria-prima e dê início à produção, a inspeção deverá ser realizada antes do pagamento do saldo em aberto; e, em caso de constatação de alguma irregularidade, o importador solicitará a correção e pagará esse saldo somente após a certeza de que o pedido está dentro do acordado.

As empresas de inspeção costumam ser muito profissionais e procuram sempre enviar ao fabricante inspetores que conheçam o produto adquirido e sejam da mesma área técnica. O importador, por sua vez, deve enviar todos os requisitos a serem verificados para o exportador e para o inspetor e, após a inspeção, receberá da contratada (inspetoria) um relatório discriminado, analisado ponto a ponto. Nele constarão fotos dos produtos, embalagens, testes e, em alguns casos, até mesmo vídeos mostrando a real situação da mercadoria.

A inspeção poderá ser contratada por amostragem de lote ou pelo lote completo. Se for a primeira, estando tudo dentro dos parâmetros, é possível solicitar o encerramento da inspeção; porém, caso o número de observações seja muito grande, é aconselhável que o importador autorize a verificação do lote completo.

O que é analisado, além dos itens solicitados pelo importador estrangeiro? É de praxe que as empresas examinem a quantidade, a qualidade, a marcação, a embalagem, as etiquetas, o peso líquido e bruto, façam testes, caso necessário, e, em alguns casos, realizem a retirada de amostras para envio ao importador. Também podem acompanhar o carregamento no contêiner (em caso de embarque marítimo, FCL), caso julguem importante verificar toda a estufagem e manuseio da mercadoria. O custo da inspeção varia conforme a quantidade de produtos e itens, o tempo de duração para a análise e distância/deslocamento do inspetor até o fabricante. O preço é mediano, mas o custo da segurança não tem preço. Há casos em que o próprio importador realiza a viagem até o fabricante exportador brasileiro para fazer a inspeção do pedido.

Existe também a inspeção de fabricação, que é o acompanhamento da fabricação, montagem e embalagem. Isso é mais aplicado para importadores de grande porte que possuem um departamento robusto de comércio exterior e verba destinada para isso.

GARANTIA DO EXPORTADOR/FABRICANTE

Os exportadores e/ou fabricantes, em sua maioria, negociam um prazo de garantia dependendo do tipo de produto comercializado. Porém, caso o importador estrangeiro queira importar algum produto em substituição da garantia, de maneira geral, o exportador brasileiro disponibiliza a mercadoria na fábrica na condição de venda EXW ou na mesma condição de venda acordada na negociação da mercadoria imprestável exportada. Sendo assim, este é um ponto que deve ser discutido previamente entre as partes, pois, sempre que há necessidade de substituir uma mercadoria em garantia, existe um certo atrito e desgaste quanto às despesas aduaneiras e ao custo logístico, podendo prejudicar o relacionamento e negócios vindouros.

Aconselho que, sempre que a exportação de um produto for negociada, sejam formalizados o período e as condições da garantia. É importante providenciar um "termo de garantia" (*warranty term*) por operação, incluindo o número da fatura comercial, todos os dados da mercadoria, como número de série (se houver), lote, quantidade, valor unitário, moeda negociada, datas da compra, embarque, prazo de garantia e qualquer observação solicitada pelo comprador. Nesse documento, devem constar os dados completos da exportadora, CNPJ, assim como da importadora, incluindo número de identificação fiscal (NIF), endereço completo, telefone e pessoa de contato. Todo e qualquer documento é oficial perante a lei e merece a devida atenção ao ser preenchido.

Para que não incidam impostos na reimportação do produto defeituoso, ou em inconformidade, que será substituído, é necessário observar e atender às exigências aplicadas no regulamento aduaneiro e demais legislações pertinentes. Existe um prazo legal para que o retorno aconteça sem que ocorra a incidência de impostos de importação no Brasil.

13º CAPÍTULO

"UM PROCESSO BEM ESTRUTURADO GARANTE A VIABILIDADE DAS SUAS OPERAÇÕES"

DOCUMENTAÇÃO E LEGISLAÇÃO

Neste capítulo, explicarei o conceito e a função de cada documento de exportação. Mostrarei os principais pontos que devem ser levados em consideração para sua conferência, aprovação do importador e demais empresas envolvidas no processo. Alguns desses documentos são utilizados para o desembaraço da mercadoria tanto na origem quanto no destino, e é o regulamento aduaneiro que estabelece os requisitos necessários para que sejam emitidos em boa ordem, assim como as legislações dos países compradores. Como em alguns pontos a legislação não é clara o suficiente, compartilharei informações sobre a prática do dia a dia, para o bom andamento do processo de liberação aduaneira da exportação, a fim de evitar divergências, atrasos e transtornos.

Regulamento aduaneiro brasileiro

O regulamento aduaneiro é um Decreto Federal que regulamenta a administração das atividades aduaneiras, a fiscalização, o controle e a tributação das operações do comércio exterior brasileiro. O Decreto Federal n. 6.759/2009 (regulamento aduaneiro vigente) contém 820 artigos, divididos em oito livros:

- Livro I, trata da jurisdição aduaneira e do controle aduaneiro de veículos.
- Livro II, trata dos impostos de importação e exportação.
- Livro III, trata dos demais tributos (impostos, taxas e contribuições) incidentes.
- Livro IV, trata dos regimes aduaneiros especiais.
- Livro V, trata do controle aduaneiro de mercadorias.
- Livro VI, trata das infrações e penalidades aduaneiras.
- Livro VII, trata do crédito tributário, do processo fiscal e administrativo.
- Livro VIII, regras finais e transitórias.

É por meio desse regulamento aduaneiro e demais legislações, como decretos-leis, medidas provisórias, portarias, instruções normativas e circulares, que os auditores fiscais da Receita Federal, despachantes aduaneiros, importadores, exportadores e outros prestadores de serviços atuam, observando toda e qualquer atualização.

Pedido de compra

O pedido de compra, também conhecido como *purchase order* (PO), é utilizado por compradores ou profissionais do departamento de importação de importadoras estrangeiras. Esse instrumento é a formalização do pedido negociado junto do fornecedor brasileiro, a partir do qual providenciará a fatura proforma.

Uma vez recebido esse documento (PO), é imprescindível que seja completamente verificado com muita atenção, se cada informação está discriminada conforme negociado previamente, constando dados completos do exportador, do importador e do agente de cargas responsável pelo transporte (em se tratando de *incoterm* negociado na modalidade *collect*). Devem ser informados, ainda, a quantidade por item, produto, especificações e características (tamanho, cor, modelo, *part number* etc.), modal, embalagem, etiqueta ou rótulo, origem, destino, manuseio, previsão de embarque e forma de pagamento. Nas observações da PO, devem constar todas as informações pertinentes ao pedido e, se necessário, alguma solicitação atípica à qual o fornecedor deverá atentar para providenciar a produção ou o fornecimento corretamente.

Os importadores que realizam compras internacionais sem o uso desse instrumento correm o risco de deixar alguma informação não esclarecida e o fornecedor brasileiro, de produzir ou fornecer o lote do pedido fora da especificidade esperada. Por isso, esse documento vem para esclarecer por completo todos os dados do pedido.

Contrato internacional de compra e venda

O contrato internacional de compra e venda de mercadorias celebrado entre exportador e importador é a consolidação das discussões previamente realizadas durante a negociação internacional. Geralmente, formaliza-se um contrato quando ambas as partes decidem estreitar a parceria, dando, assim, previsibilidade aos envolvidos.

Dessa forma, em exportações casuais conhecida como *spot*, ampara-se a operação de venda ao exterior por meio da emissão de uma fatura proforma somente, em que são discriminadas todas as condições acertadas para aquela determinada operação.

O brasileiro é avesso a assinar contratos, porém, deve-se considerar que empresas estrangeiras, diante de um comércio internacional cada dia mais dinâmico e principalmente importadores que atuam de maneira consistente e sólida em seus mercados, exigem contratos para que se resguardem de qualquer imprevisto e, assim, tenham a devida confiança para investimentos contínuos, estimulando mais negócios mercantis. O contrato dá segurança jurídica para ambas as partes. Já vi casos em que não havia contrato, e houve mudança por parte dos gestores da importadora estrangeira, que decidiram, de maneira unilateral, substituir o fornecedor, deixando o exportador brasileiro em uma situação complicada diante dos investimentos realizados em seu parque fabril para atender à demanda desse cliente.

O exportador poderá designar quantidades mínimas de compra, como um pedido mínimo por lote (MOQ) ou em determinado período, para que o importador tenha exclusividade de vendas em seu país ou área durante a vigência do contrato, assim como estabelecer uma política comercial além do citado, como:

- Quantidade de amostras para testes e homologação.
- Preço em moeda estrangeira e condições.
- Garantia e responsabilidades do fabricante.
- Termos e prazos de entrega.
- Definição da embalagem.
- Modalidade e prazo de pagamento.
- Uso e registro da marca.
- Documentação técnica e certificações internacionais que serão disponibilizadas (quando houver).
- Assistência técnica (quando houver).
- Investimento em marketing.
- Canais de distribuição.
- Responsabilidade pelo comissionamento (quando houver agente envolvido).
- Período de vigência do contrato.
- Renovação e cessão do contrato.
- Foro competente e arbitragem.

Os advogados especialistas em comércio internacional, de posse das informações acordadas, redigirão uma minuta de contrato bilíngue, observando, primeiramente, se ambos os países são signatários da Convenção de Viena (reúne em um único instrumento internacional as matérias tratadas nas Convenções de Haia), para que estabeleça as cláusulas contratuais de maneira uniforme e, assim, essa parceria seja definitivamente estabelecida e bem-sucedida.

Booking

O *booking*, também conhecido como reserva de praça, é um documento emitido pela companhia aérea, marítima, transportadora ou pelos agentes de cargas intermediários, garantindo a reserva do espaço na aeronave, navio ou caminhão e o embarque da mercadoria, desde que os *deadlines* (prazos) estipulados sejam cumpridos.

Nos embarques de natureza *prepaid*, o exportador brasileiro providenciará a reserva com antecedência junto à companhia responsável pelo embarque para garantir o espaço; para os de natureza *collect* contratados no destino, o importador solicitará ao agente de cargas, armador, companhia aérea ou transportadora de seu país que realize o *booking* e envie uma cópia ao exportador, que confirmará as informações com o agente de cargas do Brasil representante do agente de cargas do país destinatário, comprovando a reserva de espaço para embarque. É de extrema importância que o *booking* seja realizado com antecedência e principalmente cumprido, a fim de garantir credibilidade e evitar atrasos no embarque. Se os prazos e o embarque forem descumpridos, a depender do modal, poderá haver cobrança por rolagem de *booking*, *detention*, armazenagem, entre outras taxas. Dessa forma, sempre que recebida a reserva, deve-se verificar se de fato conseguirá cumprir com os *deadlines* informados, garantindo, assim, o embarque da mercadoria conforme previsto.

No *booking* devem constar nome do embarcador (*shipper*), importador ou consignatário, data de embarque, *deadline* do *draft* do conhecimento de embarque, *deadline* de VGM (quando marítimo), *deadline* da carga desembaraçada, assim como outras particularidades a depender do modal.

Conhecimento de embarque aéreo

Utilizado no modal aéreo, é emitido pela companhia aérea ou agente de cargas para transportes comerciais. Diferencia-se por meio de três conhecimentos de embarque:

AWB

Conhecido como *Air Waybill* ou AWB direto, é o conhecimento de embarque emitido diretamente pela companhia aérea para cargas não consolidadas. É muito utilizado em embarques aéreos com a condição de venda *prepaid* (frete internacional pago na origem).

MAWB

Conhecido como *Master Air Way Bill*, é o conhecimento de embarque emitido pela companhia aérea para o agente de cargas em casos de cargas consolidadas. Representa a totalidade de carregamentos recebidos pelo agente de cargas na origem, pertencentes a diversos exportadores, que serão consolidados em um único embarque. Esse documento não é liberado ao exportador nem ao importador.

HAWB

Conhecido como *House Air Way Bill*, é emitido pelo agente de cargas na origem, e a via original é entregue à companhia aérea para amparar o embarque aéreo contratado, assim como disponibilizada cópia fiel ao exportador e importador. Corresponde a uma parte ou fração da carga total consolidada no MAWB e deve estar consignado ao importador.

Independentemente do conhecimento de embarque aéreo utilizado, o mesmo padrão será seguido. Ao receber o *draft* para análise e aprovação, verificam-se os seguintes campos: dados completos do embarcador/exportador com CNPJ e do importador/consignatário, aeroporto de origem (AOL) e destino (AOD), dados do voo, quantidade de volumes, peso bruto e peso taxado, taxas, breve descrição do produto, moeda do frete internacional e valor do frete internacional destacado (quando declarado). É necessário confirmar se o valor destacado está correto e, no campo devido *collect* ou *prepaid*, verificar o local e a data de emissão. O conhecimento de transporte e os dados mencionados são declarados em inglês.

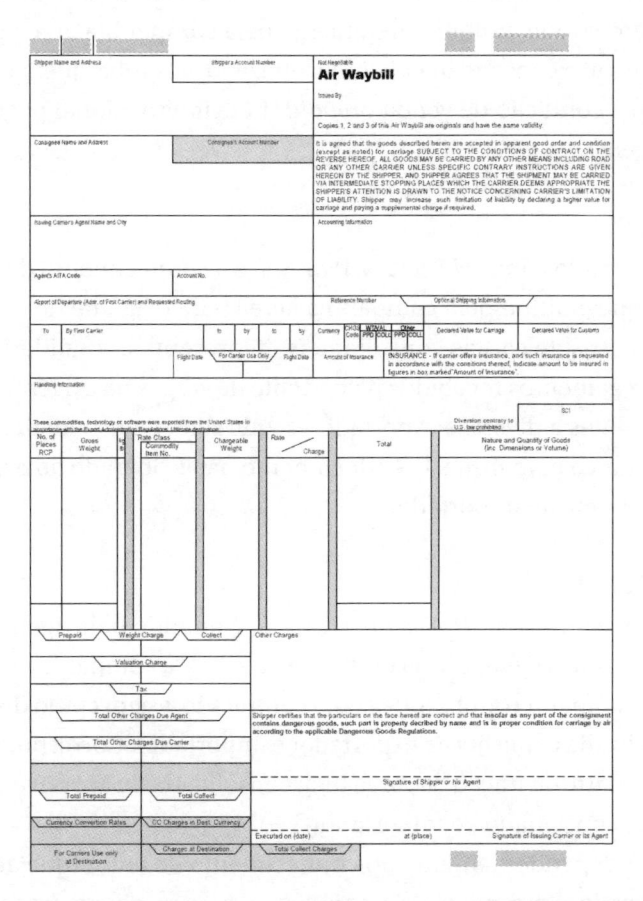

Alguns países aceitam os termos "as agreed" ou "as arranged", dispensando destacar o valor do frete internacional. Também importa confirmar se o AWB será emitido e liberado na origem ou se será liberado no destino (*Express/Telex Release*). Em caso de emissão do original no Brasil, deve-se verificar, após a emissão, se ele está assinado pelo transportador, companhia aérea ou agente de cargas. O conhecimento de embarque aéreo constitui recibo da mercadoria entregue para transporte e no seu verso constam os termos e as condições.

É imprescindível que o *draft* do AWB seja conferido antecipadamente pelo exportador e pelo importador para que seja emitido corretamente a fim de evitar alterações fora do prazo (*deadline*), custos desnecessários e, consequentemente, atraso da liberação da mercadoria na origem e destino.

Conhecimento de embarque marítimo

Utilizado no modal marítimo, é emitido pelo armador ou agente de cargas para transportes comerciais. Diferencia-se por meio de três conhecimentos de embarque:

BL

Conhecido como *Bill of Lading* ou BL direto, é o conhecimento de embarque emitido diretamente pelo armador para cargas não consolidadas e *full containers* (FCL). É muito utilizado em embarques marítimos com a condição de venda *prepaid* (frete internacional pago na origem).

MBL

Chamado *Master Bill of Lading*, é o conhecimento de embarque emitido pelo armador para o agente de cargas, em casos de embarques consolidados ou únicos. Representa a totalidade de carregamentos recebidos pelo agente na origem, advindos de diversos exportadores, que serão consolidados em um único embarque ou em um ou mais contêineres. Esse documento não é liberado ao exportador nem ao importador.

HBL

Esse conhecimento de embarque entregue ao exportador, emitido pelo agente de cargas no Brasil, ou liberado no destino pelo representante do agente de cargas brasileiro, é chamado *House Bill of Lading* e corresponde a uma parte ou fração da carga total consolidada no MBL. Esse documento pode ser consignado ao banco, quando amparado por algum financiamento, ou diretamente ao importador.

Independentemente do conhecimento de embarque marítimo utilizado, será seguido um padrão. Ao receber o *draft* para análise e aprovação, verificam-se os seguintes campos: dados completos do embarcador/exportador com CNPJ e do importador/consignatário, dados completos da empresa a ser notificada sobre a chegada do embarque, porto de origem (POL), de destino (POD) e descarregamento, moeda do frete internacional e valor destacado (quando declarado), dados do navio e viagem, marcações das embalagens, quantidade e espécie de volumes, quantidade e tipo de contêiner, lacre e número do contêiner, peso bruto, cubagem, breve descrição do produto e demais informações pertinentes, NCMs e HS Codes, número da Declaração Única de Exportação e da Referência Única de Carga, pagamento do frete internacional (se *prepaid* ou *collect*), local de embarque e data de emissão. O conhecimento de transporte e os dados supramencionados são declarados em inglês.

Alguns países aceitam os termos "as agreed" ou "as arranged" sem a necessidade de destacar o valor do frete internacional. Também importa confirmar se o BL será emitido e liberado na origem ou se será liberado no destino (*Express/Telex Release*). Em caso de emissão do original no Brasil, deve-se verificar, após a emissão, se ele está assinado pelo armador ou agente de cargas. O conhecimento de embarque marítimo constitui recibo da mercadoria entregue para transporte e no seu verso constam os termos e condições. A confirmação do embarque é declarada por meio da expressão *shipped on board*, mencionada no corpo do documento.

Diferentemente do embarque aéreo, no conhecimento de embarque marítimo é obrigatório mencionar as NCMs vinculadas a essa exportação.

É imprescindível que o *draft* do BL seja conferido antecipadamente pelo exportador e pelo importador para que seja emitido corretamente a fim de evitar alterações fora do prazo (*deadline*), custos desnecessários e, consequentemente, atraso da liberação da mercadoria na origem e destino.

Conhecimento de embarque rodoviário

Trata-se do conhecimento de embarque utilizado no modal rodoviário, emitido pela transportadora para transportes internacionais de carga. Diferencia-se em duas categorias:

CRT

Conhecido como CRT ou Conhecimento de Transporte Internacional por Rodovia, é emitido diretamente pela transportadora, para cargas LTL (*less truck load*) e FLT (*full truck load*), sem a intervenção de agente de cargas. Nesse caso, a transportadora pode ter prepostos em diversas regiões e fronteiras para representá-la, mas não são agentes de cargas que compram e vendem frete internacional rodoviário, como nos demais modais.

Ao receber o *draft* do CRT para análise e aprovação do exportador e do importador, os seguintes campos devem ser verificados: dados completos do remetente/exportador com CNPJ e do destinatário/importador, dados completos da empresa a ser notificada sobre a chegada do embarque e da transportadora, local de carregamento, destino e descarregamento, moeda do frete internacional e seu valor destacado, *incoterm* (condição de venda), marcações nas embalagens, quantidade e tipo de volumes, peso bruto e líquido, breve descrição do produto, valor da mercadoria na moeda estrangeira negociada, pagamento do frete internacional (se pago na origem ou destino), local de embarque e data de emissão.

Além de verificar se o valor do frete internacional está destacado, é importante confirmar se o CRT será assinado devidamente pela transportadora após emissão da via original. Assim como nos modais aéreo e marítimo, ele constitui recibo da mercadoria entregue para transporte e no seu verso constam os termos e condições. Se alguma avaria for constatada na chegada da mercadoria no destino, o destinatário deverá declarar as informações no CRT, para amparo legal por parte da seguradora.

MIC/DTA

No modal rodoviário, há um documento adicional, obrigatório em viagens internacionais e combinado, conhecido como MIC/DTA ou Manifesto Internacional de Cargas/Declaração de Trânsito Aduaneiro. Ele dispensa a necessidade de vistoria de carga em fronteira e permite que a liberação aduaneira (desembaraço) da mercadoria seja efetuada em um porto seco mais próximo do exportador, em caso de Despacho de Trânsito Aduaneiro ou para realizar a passagem (cruze) de um país ao outro. O CRT, o MIC/DTA e os dados mencionados neles podem ser declarados em português ou espanhol.

FATURA PROFORMA

Após a negociação de valores e demais condições de compra e venda entre importador e exportador, este último emitirá a fatura proforma, também conhecida como *proforma invoice* ou PI. Com base no pedido de compra (PO) emitido pelo comprador, esse documento também pode ser considerado a formalização do pedido e até mesmo um contrato entre as partes. Na fatura devem constar todos os dados negociados, via e-mail ou pessoalmente, como: data da emissão, número da PI, número da PO (quando houver), dados completos do exportador com CNPJ e importador, *incoterm* (condição de venda), modal, porto/aeroporto/local de embarque e desembarque, tipo de embalagem, forma e termos de pagamento da mercadoria, quantidade, descrição completa e detalhada, valor unitário, valor total, moeda negociada, prazo de produção, garantia (se houver) e seu prazo, dados bancários do exportador com canal bancário (banco, *SWIFT* etc.) e, caso necessário, informações sobre aplicação de multa, por descumprimento de algo negociado ou por qualquer atraso.

Uma vez conferida pelo importador estrangeiro, ele a assinará e enviará ao exportador brasileiro, para que a assine e devolva, formalizando a negociação. É esse documento, emitido predominantemente em inglês, que o importador repassará ao banco em seu país para o fechamento de câmbio antecipado, caso o pagamento da mercadoria negociada em questão seja adiantado, conforme explicado no capítulo sobre "modalidades de câmbio".

É importante detalhar ao máximo as informações nesse documento, para que o exportador e o importador estejam resguardados. Em caso de não cumprimento do pedido de acordo com o negociado na fatura proforma, ela poderá ser usada judicialmente para proteger os direitos do exportador e/ou importador. Por esse e outros motivos, a emissão correta e a averiguação do documento pelo exportador e pelo importador são de extrema importância para o bom andamento da operação e manutenção do relacionamento entre os envolvidos.

Esse documento não é utilizado no despacho aduaneiro de exportação definitiva, somente em casos de exportação temporária para feira, treinamento, consignação ou, em alguns casos, envio de amostras.

FATURA COMERCIAL

A fatura comercial, também conhecida como *commercial invoice* (CI) ou *invoice*, é uma nota fiscal internacional emitida pelo exportador ao importador. Basicamente, é o espelho da fatura proforma, que descreve a mercadoria embarcada de acordo com o pedido solicitado. Trata-se de um dos principais documentos na exportação, pois é utilizada no despacho aduaneiro de exportação no Brasil e importação no país de destino.

De acordo com o regulamento aduaneiro, nela devem constar as seguintes informações: data da emissão, número da fatura comercial, dados completos do exportador e do importador com endereço e CNPJ, *incoterm*, modal, porto/aeroporto/local de embarque e desembarque, tipo de embalagem, forma e termos de pagamento da mercadoria, quantidade, espécies de volumes, marcas, numeração, descrição completa e detalhada da mercadoria, valor unitário e total, moeda negociada, peso líquido e bruto, país de origem, país de aquisição e procedência. Se os fabricantes forem diferentes do exportador ou se o frete e o seguro internacional forem contratados no Brasil na modalidade *prepaid*, ambos os valores deverão ser destacados na fatura comercial.

É importante ressaltar que, em caso de omissão de informação neste documento e parametrização da Declaração Única de Exportação (DU-E) em canal laranja ou vermelho, o auditor fiscal da Receita Federal poderá autuar o exportador, conforme prevê o regulamento aduaneiro. A dificuldade de inclusão de todas as informações necessárias nesse documento é real, pois muitos *softwares* (ERP) utilizados pelos exportadores brasileiros são limitados. Dessa forma, se não houver o campo correto no formulário da fatura do exportador, informe os dados no corpo do documento.

Diante de tantas exigências dos importadores estrangeiros, muitos brasileiros criaram o hábito de utilizar o Excel para emissão da fatura comercial, principalmente as pequenas e médias empresas exportadoras, tendo, assim, maior flexibilidade. Ela é usualmente emitida em inglês e deverá ser assinada pelo exportador com caneta azul e carimbada com o carimbo da exportadora. Conforme explanado em outro capítulo, a emissão do *draft* e o envio prévio ao importador são muito importantes para que o documento seja conferido e corrigido, caso necessário, antes da emissão da via original final.

[Modelo de fatura comercial (Invoice) com os campos: Dados do exportador (papel timbrado da empresa), NO., DATE, (FOR CUSTOMS), FOR ACCOUNT OF, CONSIGNEE, PO NO, SHIPPMENT FROM, SHIPPED FROM, PAYMENT, I/NO, C/NO, DESCRIPTION, QTY, UNIT PRICE, AMOUNT, Total net weight (KG), Total Gross weight (KG), COUNTRY OF ORIGIN, FREIGHT, PACKAGED IN, MANUFACTURER, EXPORTER, Sales Support & Shipping.]

ROMANEIO DE CARGA

O romaneio de carga, também conhecido como *packing list* ou PL, é um documento emitido pelo exportador ao importador. Relaciona os volumes embarcados e uma breve descrição do conteúdo, peso líquido e bruto por item e total, marcações, numeração e dimensões de cada volume. Assim como na fatura comercial, devem constar: data de emissão, número do romaneio de carga, dados completos do exportador com endereço e CNPJ, dados do importador com endereço completo, *incoterm*, modal e porto/aeroporto/local de embarque e desembarque.

A principal finalidade desse documento é auxiliar os envolvidos na localização da mercadoria dentro de cada volume, seja no despacho aduaneiro de exportação ou na liberação aduaneira no país de destino.

Em caso de vistoria física por algum órgão anuente, o romaneio ajudará a identificar cada item, e, em parametrização da Declaração Única de Exportação em canal laranja ou vermelho, auxiliará o conferente do terminal ou técnicos/fiscais da Receita Federal do Brasil a encontrar facilmente cada produto. É de posse desse documento que o exportador, o importador ou o despachante aduaneiro conferem e aprovam o conhecimento de embarque.

Assim como a fatura comercial é utilizada no despacho aduaneiro no Brasil e no destino, a emissão do *draft* e o envio prévio ao importador são de extrema importância para que o documento seja conferido e corrigido, caso necessário, antes da emissão da via original final. Também deve ser assinado por caneta azul e carimbado com o carimbo da exportadora.

CERTIFICADO DE ORIGEM

Na exportação, para que o importador estrangeiro goze de tratamento tributário diferenciado em seu país favorecido em razão da origem da mercadoria, essa comprovação é amparada por meio da apresentação do Certificado de Origem. Também conhecido como *Certificate of Origin* ou CO, é um documento que comprova a origem da mercadoria, ou seja, o país de fabricação. Costuma ser emitido pelo exportador, preferencialmente quando há benefício fiscal ao importador.

O Brasil, além de pertencer ao bloco econômico do Mercosul, possui acordo bilateral com diversos países. Por isso, nas exportações para esses países, é indispensável a emissão do Certificado de Origem para atestar a origem do bem e garantir a redução ou isenção do Imposto de Importação ao importador no ato da nacionalização da mercadoria.

Os pontos analisados no Certificado de Origem são basicamente os dados do exportador e do importador, data de emissão, numeração, número e data da fatura comercial, origem, destino, NCM, descrição da mercadoria e menção ao acordo do bloco econômico ou bilateral. Se o exportador for diferente do fabricante, os dados deste devem constar nas informações complementares ou observações.

O Certificado de Origem é emitido por associações comerciais, federações de indústria e agropecuária ou qualquer instituição autorizada, devendo ser assinado pela entidade certificadora e, em alguns casos, pelo exportador. Seus dados devem coincidir com os da fatura comercial da exportação. O CO tem validade de 180 dias, contados a partir da sua data de emissão.

É importante ressaltar que, para que o benefício seja concedido ao importador na liberação aduaneira da mercadoria, o produto deverá ter sido de fato fabricado no Brasil, desde que exista acordo econômico com o país do comprador. Se o importador adquirir do Brasil um produto que tenha sido fabricado na China, por exemplo, ele não terá direito de redução ou isenção do Imposto de Importação (II).

CERTIFICADO DE ORIGEM DO MERCOSUL
ACORDO DE COMPLEMENTAÇÃO ECONÔMICA CELEBRADO ENTRE OS GOVERNOS DOS ESTADOS PARTES DO MERCOSUL E O GOVERNO DA REPÚBLICA DA BOLÍVIA

1 - Produtor Final ou Exportador (Nome, Endereço, País)	Identificação do Certificado (Número)
2 - Importador (Nome, Endereço, País)	
3 - Consignatário (Nome, País)	

4 - Porto ou Lugar de Embarque Previsto	5 - País de Destino das Mercadorias
6 - Meio de Transporte Previsto	7 - Fatura Comercial Número: Data: / /

8 - N.º de Ordem (A)	9 - Códigos NALADI/SH	10 - Denominação das Mercadorias (B)	11 - Peso Líquido ou Quantidade	12 - Valor FOB em Dólares (US$)

N.º de Ordem	13 - Normas de Origem (C)

14 - Observações:

Certificado de Origem

15 - Declaração do Produtor Final ou Exportador: Declaramos que as mercadorias mencionadas no presente formulário foram produzidas no Brasil e estão de acordo com as condições de origem estabelecidas no Acordo de Complementação Econômica nº 36. Belo Horizonte (Brasil), de de	16 - Certificação da Entidade Habilitada - Certificamos a veracidade da declaração que antecede, de acordo com a legislação vigente. Belo Horizonte (Brasil)
Carimbo e Assinatura	Carimbo e Assinatura

Ver no Dorso

CONTRATO DE CÂMBIO

O contrato de câmbio é um instrumento firmado entre o vendedor da moeda estrangeira e o comprador, no caso, o exportador e a instituição financeira, respectivamente. Esse documento é gerado pelo banco ou corretora contratada após o fechamento de câmbio da operação comercial internacional. Nele, constam todos os dados do procedimento realizado.

Liquidação do câmbio

A liquidação da ordem do pagamento recebida do exterior referente ao valor acordado da operação, observando a modalidade de câmbio, deve ser realizada a pedido do exportador junto ao banco ou corretora da qual foi utilizado o canal bancário no documento enviado ao importador. Para que esses recursos monetários sejam disponibilizados na conta-corrente do exportador, é necessário que ele entre em contato com essa instituição, uma vez confirmada a disponibilidade dessa ordem, para que se feche o câmbio.

Esse procedimento se dá mediante apresentação de documentos comprobatórios da operação de exportação, assim como da solicitação do exportador, seja via sistema on-line ou contato telefônico com a mesa de câmbio. É nesse momento que haverá a negociação entre instituição financeira e exportador referente a taxa de conversão. Uma vez acordado, dentro de algumas horas o montante estará disponível em conta-corrente.

Muitos exportadores novatos, diante da ansiedade de fazer o negócio acontecer, assim que recebem o comunicado do banco ou corretora de que a ordem de pagamento está disponível para liquidação, realizam-na na mesma hora, porém não é necessário ser dessa forma; uma vez confirmada a chegada da ordem, no caso de câmbio antecipado, o exportador tem até 90 dias para liquidá-la, desde que seja antes do embarque da mercadoria.

Dessa forma, poderá observar a flutuação cambial dos próximos dias e fechar esse câmbio na melhor hora possível, recebendo, assim, mais do que o previsto. Quando se tratar de negociação por carta de crédito, deverão ser observadas todas as exigências documentais e prazos para que sejam cumpridos e possa receber o pagamento da mercadoria de acordo.

Exportadores frequentes, que também atuam na importação, podem ter conta-corrente em moeda estrangeira no exterior e receber esses pagamentos oriundos da exportação por esse meio, podendo, assim, eventualmente, trazer esse recurso ao Brasil ou até mesmo pagar mercadorias, aos fornecedores estrangeiros, de importações futuras.

CERTIFICADO SANITÁRIO E FITOSSANITÁRIO

O Certificado Sanitário, ou *Sanitary Certificate*, e o Certificado Fitossanitário, também conhecido como *Phytosanitary Certificate*, são documentos exigidos pelo Ministério da Agricultura, Pecuária e Abastecimento (Mapa), ou órgão correspondente do país do comprador, para o ingresso de mercadorias importadas cárneas e vegetais. Ambos são emitidos pelo Mapa do Brasil. Esses documentos atestam a condição sanitária e fitossanitária do lote exportado pelo Brasil.

Para sua emissão, é necessária a vistoria física do lote por algum fiscal agropecuário antes do embarque da mercadoria. Assim como nos documentos citados anteriormente, é importante enviar o *draft* deles para análise e aprovação do importador, antes da emissão das vias originais.

CERTIFICADO DE SEGURO INTERNACIONAL

O Certificado de Seguro Internacional, também conhecido como *Insurance Certificate*, é um documento emitido pela seguradora ou corretora de seguros confirmando a contratação do seguro internacional referente a um determinado embarque (lote) de mercadoria. Pode estar diretamente vinculado a uma determinada apólice do exportador ou da corretora que ele contratou, informando os procedimentos a serem adotados em caso de algum tipo de sinistro. Esse certificado é emitido principalmente quando a contratação do seguro é efetuada no Brasil pelo exportador, em caso de condição de venda *prepaid* com contratação de seguro.

Sua cobertura tem início no instante da saída da mercadoria do armazém do exportador ou fabricante e término ao ser entregue ao importador no local designado. Em caso de algum tipo de sinistro, nesse certificado haverá o telefone da seguradora ou representante do país destinatário, para que o importador entre em contato e verifique o procedimento a ser adotado.

Quando o seguro internacional é contratado pelo importador de uma seguradora no seu país ou por meio da apólice de um agente de cargas, essa averbação é realizada de maneira eletrônica diretamente no sistema da seguradora, não emitindo, assim, o certificado impresso.

Esse documento não é apresentado à Receita Federal do Brasil para desembaraço da mercadoria.

CERTIFICADO DE FUMIGAÇÃO

Trata-se de um documento que comprova que o produto ou embalagem passou por um processo de fumigação na origem (Brasil). Nele devem constar o tipo de tratamento utilizado, o tempo de aplicação e o período que permaneceu isolado. Lembrando que a madeira fumigada deverá ser carimbada de acordo com a norma internacional NIMF 15.

Fumigação

A fumigação é um tipo de controle de pragas, realizado por meio do tratamento com compostos químicos ou formulações pesticidas, também conhecidos como fumigantes, aplicados como vapor ou gás em um sistema hermético (fechado). Ela visa desinfetar materiais, objetos e instalações que não podem ser submetidos a outras formas de tratamento. Sempre que se tratar de embalagem de madeira bruta não tratada, como pálete, caixote, engradado, suporte ou armação, o exportador deverá confirmar com o importador se a madeira utilizada deverá ser fumigada, carimbada e certificada. Em caso de dúvida ou falta de confirmação por parte do importador, sugiro que a fumigação seja devidamente realizada.

Os dois tipos de fumigação mais comuns e utilizados pelas exportadoras do Brasil são o Brometo de Metila (MB) e o *Heat Treatment* (HT). O primeiro prejudica a Camada de Ozônio, e, após a assinatura do Protocolo de Montreal, seu uso vem caindo consideravelmente em muitos países. As embalagens são colocadas em uma câmara hermética de lona ou em um contêiner, onde o gás MB é aplicado e age por 24 horas, com mais três horas de aeração/ventilação. Seu custo é pelo menos 1/3 do custo do tratamento em HT, que consiste em submeter a madeira a um ciclo de aquecimento em uma câmara térmica pelo período de 30 minutos.

Embalagem de madeira

Toda vez que um produto embalado com madeira bruta é exportado do Brasil, o exportador deve se certificar com o importador se a embalagem deve ser fumigada e o Certificado Fitossanitário precisa ser providenciado. Em caso de afirmação, o despachante aduaneiro entrará com um requerimento ao Vigiagro do local solicitando vistoria física. Nesse meio-tempo, o exportador providenciará o posicionamento da mercadoria junto do terminal, geralmente alfandegado, para que a empresa especializada nesse serviço e credenciada junto ao Ministério da Agricultura possa realizar a fumigação para que, em seguida, o fiscal agropecuário realize a vistoria física *in loco* desse lote. Uma vez embarcada a mercadoria, o despachante aduaneiro anexará a esse requerimento a cópia fiel do conhecimento de embarque original para que o fiscal possa emitir o Certificado Fitossanitário.

Em 2015, houve a publicação da Instrução Normativa Mapa n. 32/2015, que estabeleceu procedimentos de fiscalização adotando as diretrizes da Norma Internacional para Medidas Fitossanitárias NIMF 15, que regulamenta o uso de material de embalagem de madeira no Comércio Internacional, para a proteção dos vegetais, para alimentação e agricultura.

Antes dela, as embalagens de madeira que não fossem tratadas ou fumigadas, despachadas do Brasil, poderiam passar por um tratamento de fumigação no destino. Desde então, a embalagem de madeira deve sair do país de origem fumigada, carimbada e certificada.

O documento que prova que a madeira realmente foi tratada é o Certificado Fitossanitário, emitido oficialmente pelo Ministério da Agricultura brasileiro e que não pode ser negado pelo Ministério da Agricultura ou órgão competente do país destinatário. É importante ressaltar que, para emitir esse documento, é necessário que haja uma solicitação da origem sendo comprovada documentalmente.

Já o Certificado de Fumigação é emitido por uma empresa terceira credenciada ao Mapa, que presta o serviço de fumigação, porém não tem o mesmo valor jurídico que o Certificado Fitossanitário, dessa forma, pode ser negado pelo Mapa estrangeiro, e o importador correrá sérios riscos de não conseguir a liberação da embalagem em caso de constatação de pragas na madeira ou ausência da marca internacional.

A marca internacional (carimbo) que deve constar na embalagem de madeira é chamada de IPPC. Ela certifica que a madeira foi submetida a um tratamento fitossanitário oficial, aprovado e reconhecido pela NIMF 15.

```
        código do produtor ou empresa
        responsável pela fumigação
  Código (região e licença)
  do país
  ┌─┐
  │I│
  │P│  DE - NW - 49XXXX
  │P│
  │C│  HT o. MB [DB]
  └─┘  Tipo de tratamento
       HT = Tratamento em HT
       MB = Brometo de metila
  Símbolo IPPC
```

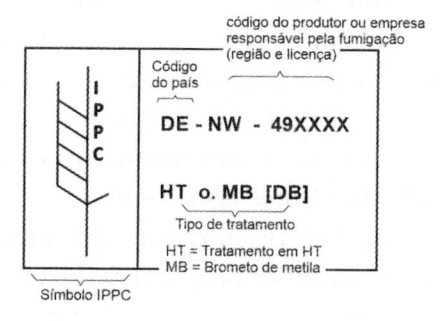

CERTIFICADO DE QUALIDADE

O Certificado de Qualidade, ou, do inglês, *Quality Certificate*, é um documento emitido usualmente por uma certificadora de qualidade internacional, como SGS, Intertek, Bureau Veritas, entre outras. Elas são indicadas tanto pelo importador estrangeiro quanto pelo exportador brasileiro, dependendo do nível de exigência de qualidade daquele.

Esse atestado tem como finalidade afirmar a qualidade do lote do produto a ser exportado. Em alguns casos específicos, atesta a homologação da fábrica e de determinadas famílias de produtos produzidas pelo fabricante, produtor, exportador, conforme demanda do comprador. Esse certificado não é apresentado à Receita Federal para desembaraço aduaneiro.

CONSULARIZAÇÃO DE DOCUMENTOS

A consularização de documentos, também conhecida como "legalização" de documentos exigidos por alguns países, um deles fronteiriço ao Brasil, como o Paraguai, é um procedimento a ser adotado antes do embarque ou ingresso da mercadoria no país de destino. Os documentos da exportação, tais como conhecimento de embarque, fatura comercial, romaneio de carga, certificado de origem, entre outros, devem ser submetidos a fé pública, pela qual, nesse caso, o cônsul paraguaio daquela jurisdição certifica que os documentos ali apresentados são originais e verdadeiros, podendo ser reconhecidos pelo seu país no ato da liberação aduaneira da importação.

É muito comum exportadores brasileiros desconhecerem esse procedimento e, por falta de informação, não considerarem esse custo no valor da venda negociado, criando divergência entre exportador e importador, ficando, assim, os despachantes aduaneiros brasileiro e paraguaio responsáveis por providenciar essa exigência em caráter de urgência, muitas vezes, com carga já parada na aduana paraguaia, gerando armazenagem e custos desnecessários.

Esse tipo de informação deve ser confirmado durante a negociação, principalmente de maneira formalizada, seja via e-mail, *purchase order* (pedido de compra), fatura proforma etc. Os documentos podem ser submetidos a legalização pelo despachante aduaneiro brasileiro, paraguaio, por transportadora, pelo próprio importador ou exportador ou por qualquer outra pessoa mediante apresentação de procuração, devendo ser realizada a cada operação.

Quando se trata de exportação rodoviária tendo como fronteira a cidade de Foz do Iguaçu, a consularização poderá ser realizada no próprio Consulado Paraguaio desse município. Quando se tratar de transporte aéreo, deverá ser submetido ao Consulado mais próximo.

Recentemente, foi negociada entre os presidentes dos países-membros do Mercosul a isenção dessa cobrança a fim de tornar o Brasil e o bloco econômico como um todo, mais competitivo. Agora resta-nos aguardar essa medida vigorar na prática.

NOTA FISCAL DE EXPORTAÇÃO

Antes da saída da mercadoria do estabelecimento do exportador ou fabricante/produtor, o exportador emitirá uma nota fiscal de exportação para que o produto possa ser transportado legalmente em território nacional até o recinto alfandegado em que ocorrerá o despacho aduaneiro de exportação. A nota fiscal de exportação, conhecida como NF-e ou Danfe, é um documento nacional emitido por um *software* conhecido como ERP, gratuito ou não. Ela comprova fiscalmente a saída da mercadoria do seu estoque e contabilmente no livro de Registro de Saídas.

Após a implantação do Portal Único (Pucomex), por meio do módulo de exportação, a nota fiscal de exportação tornou-se o principal documento no processo de exportação no Brasil, dessa forma, quando emitida a NF-e de exportação, o despachante aduaneiro ou a comissária de despachos, em posse desse arquivo em PDF ou XML, inserirá a chave de acesso no Pucomex, para que a Declaração Única de Exportação seja gerada a partir desse arquivo, ou seja, a DU-E será um espelho da nota fiscal de exportação.

Muitos exportadores dependem de contadores para a emissão desse documento, porém a responsabilidade dessa tarefa é do próprio exportador. Nas primeiras vezes, por se tratar de uma fase de adaptação, o exportador poderá ter dificuldades, dessa forma, é imprescindível que esclareça todas as dúvidas antecipadamente para que a nota fiscal seja processada e emitida corretamente de acordo com as exigências da Secretaria da Fazenda do Estado (Sefaz) e da Receita Federal do Brasil.

Alguns pontos são obrigatórios, como:

- Código Fiscal de Operações e Prestações (CFOP);
- Natureza da operação;
- Dados do importador estrangeiro (razão social, endereço etc.);
- Nomenclatura Comum do Mercosul (NCM);
- CST (IPI, PIS, Cofins e ICMS);
- Descrição detalhada da mercadoria;

- Unidade de medida estatística e unidade comercializada;
- Siglas das unidades tributáveis;
- Quantidades tributáveis;
- Soma das quantidades tributáveis;
- Conversão da moeda estrangeira (USD/EUR) para reais (R$);
- Peso líquido/bruto.

Quando se tratar de comercial exportadora que adquiriu o produto no mercado interno destinada à exportação, é necessário referenciar a nota fiscal de compra nessa nota fiscal de exportação. Em caso de exportação com frete e seguro internacional contratados e pagos no Brasil (*prepaid*), ambos deverão ser destacados em campos específicos.

É de extrema importância utilizar o campo "informações complementares" da nota fiscal para comunicar dados relevantes da exportação, como número da fatura proforma ou comercial, referência interna, modalidade do câmbio, base legal dos benefícios tributários aplicados e demais informações que sejam esclarecedoras tanto ao exportador quanto ao Fisco ou qualquer outro profissional que tenha acesso a esse documento.

Outro ponto importante é que poucas alterações podem ser feitas na Declaração Única de Exportação após a inserção da chave de acesso da NF-e no Pucomex, dessa forma, cada informação é extremamente relevante para o bom andamento da sua exportação. Também esclareço que a nota fiscal é um documento nacional, não sendo utilizado pelos importadores estrangeiros para liberação aduaneira no destino.

Código Fiscal de Operações e Prestações (CFOP)

O CFOP é o Código Fiscal de Operações e Prestações indicado nas emissões de notas fiscais. Possui basicamente dois critérios, de acordo com o tipo da nota fiscal, de entrada ou saída. Trata-se de um código numérico que identifica a natureza da circulação da mercadoria. Nas exportações, os CFOPs mais utilizados são:

7.000 – SAÍDAS OU PRESTAÇÕES DE SERVIÇOS PARA O EXTERIOR
7.100 – Vendas de produção própria ou de terceiros.
7.101 – Venda de produção do estabelecimento.
7.102 – Venda de mercadoria adquirida ou recebida de terceiros.
7.105 – Venda de produção do estabelecimento, que não deva por ele transitar.
7.106 – Venda de mercadoria adquirida ou recebida de terceiros, que não deva por ele transitar.
7.127 – Venda de produção do estabelecimento sob o regime de *Drawback*.

7.500 – EXPORTAÇÃO DE MERCADORIAS RECEBIDAS COM FIM ESPECÍFICO DE EXPORTAÇÃO
7.501 – Exportação de mercadoria recebida com fim específico de exportação.

7.900 – OUTRAS SAÍDAS DE MERCADORIAS OU PRESTAÇÕES DE SERVIÇOS
7.930 – Lançamento efetuado a título de devolução de bem cuja entrada tenha ocorrido sob o amparo de regime especial aduaneiro de admissão temporária.
7.949 – Outra saída de mercadoria ou prestação de serviço não especificado.

Cada código é composto por quatro dígitos. Por meio do primeiro número é possível identificar qual o tipo de operação que está sendo realizada. Havendo qualquer dúvida, entre em contato com a sua contabilidade para saná-la e obter maiores esclarecimentos.

SOFTWARE DE GESTÃO EMPRESARIAL

O *software* de gestão empresarial contratado pelo exportador, também conhecido como *Enterprise Resource Planning* (ERP), deve ser previamente analisado com cuidado para agregar de fato agilidade na gestão da exportadora. É comum depararmos com exportadores tendo dificuldade na emissão de notas fiscais de saída, sistema fora do ar, entre outras. Dessa forma, ao contratar um ERP, é importante analisar suas funcionalidades: se são fáceis de utilizar, se o sistema é WEB ou se será instalado diretamente no servidor da exportadora, se realiza o controle de estoques, gestão financeira, conciliação bancária, cadastro de produtos, fornecedores nacionais e estrangeiros, transportadoras, se o sistema está homologado para emissão de nota fiscal de saída para exportação pelo Sefaz do seu estado, se os profissionais que utilizarão o sistema diariamente serão capacitados para tal e, principalmente, o suporte técnico. Sugiro conversar com outros empresários que já utilizem o sistema desejado para obter um feedback e mais segurança na escolha. Efetuar a troca de sistemas de gestão após o início das atividades da empresa é um procedimento árduo e muitas vezes custoso.

É importante ressaltar que a maioria dos *softwares* são bons, mas, para que se tenha o resultado desejado, devem ser alimentados correta e continuamente por todos os usuários.

14º CAPÍTULO
"TECNOLOGIA AVANÇADA NA LIBERAÇÃO DA SUA CARGA"

DESPACHO ADUANEIRO

É o procedimento fiscal pelo qual se processa o desembaraço aduaneiro das mercadorias a serem exportadas. Nele, é verificada a exatidão dos dados declarados pelo exportador, por meio da Declaração Única de Exportação (DU-E) e documentos apresentados eletronicamente, como a nota fiscal de exportação, conhecimento de embarque, entre outros, cumprindo com o regulamento aduaneiro e demais legislações específicas.

O início do processo de despacho de exportação se dá por meio do registro da DU-E. O prazo em lei para o início do despacho é de até 15 dias após seu registro, dessa forma, uma vez registrada a DU-E, a mercadoria deverá ser apresentada em zona primária ou zona secundária o mais breve possível para que ocorra o andamento da liberação da mercadoria junto à Receita Federal do Brasil e demais órgãos (quando necessário), evitando, assim, o decurso de prazo e o cancelamento da DU-E, que ocorre de maneira automática.

Zona primária

São considerados zona primária os locais de ingresso e saída da mercadoria do território nacional com origem ou destino, o exterior, ou seja, portos, aeroportos e recintos alfandegados na fronteira.

Zona secundária

É considerada zona secundária a parte restante do território aduaneiro, como portos secos, Centro Logístico e Industrial Aduaneiro (Clia), Recinto Especial para Despacho Aduaneiro de Exportação (Redex) e Estação Aduaneira do Interior (Eadi).

LPCO

O módulo LPCO é o canal de relacionamento dos órgãos anuentes e demais intervenientes, como o próprio exportador, despachante aduaneiro, entre outros responsáveis pelas emissões de licenças, permissões, certificados e outros documentos de exportação. É por meio desse módulo do Portal Único Siscomex que os órgãos manifestam seus pareceres, seja autorizando a exportação, seja na emissão de um certificado fitossanitário, cuja natureza ou tipo de operação estão sujeitos ao controle administrativo de instituições, como Anvisa, Ministério da Agricultura (Mapa), Ibama, entre outras.

Dessa forma, antes de realizar a venda da mercadoria ao importador, consulte seu despachante aduaneiro para que ele verifique a necessidade ou não de emissão de LPCO. Para isso, é necessário informar a ele a NCM do produto, o país de destino, o país do importador e o enquadramento da operação para que, por meio do "simulador do tratamento administrativo de exportação", verifique se há restrições ou exigências para que a operação de exportação seja processada sem nenhum tipo de surpresa. Muitos produtos estão dispensados dessa necessidade, porém é de extrema importância que, antes de exportar qualquer artigo, seja realizada essa verificação caso a caso, assim como questionado o importador.

Se for exigido LPCO, seu despachante aduaneiro informará o procedimento e os documentos a serem submetidos ao órgão anuente, sendo imprescindível trabalhar com informações precisas. Não tendo todos os dados requisitados, sugiro verificar o que for da sua alçada e de outros profissionais envolvidos, para que haja êxito no processo e evitar qualquer tipo de contratempo, como indeferimento, despesas desnecessárias com as taxas de anuência e atraso no embarque da mercadoria. Em um passado recente, essas demandas eram submetidas mediante formulários ou sistemas independentes de cada entidade, cada um com procedimentos próprios para verificação, prazo para análise e posicionamento. Com a implementação desse módulo, os benefícios aos exportadores são imensuráveis, como inserção única de dados, flexibilização para emissão de documentos que amparem mais do que um embarque, melhoria na comunicação com os órgãos, inspeção única de cargas com mais de uma anuência (quando necessário) etc.

Em caso de exportação financiada via Proex ou qualquer outro tipo de financiamento, deverá ser providenciado LPCO em substituição ao Registro de Operações de Crédito (RC).

É importante ressaltar que o LPCO deve ser vinculado em campo próprio no item da Declaração Única de Exportação correspondente à operação. O prazo de análise, deferimento, indeferimento etc., por parte do órgão anuente, é de até 30 dias, conforme estabelecido em Lei Federal que regula o processo administrativo no âmbito da administração pública federal.

DECLARAÇÃO ÚNICA DE EXPORTAÇÃO (DU-E)

A Declaração Única de Exportação (DU-E) é um documento eletrônico emitido pelo declarante (despachante aduaneiro ou o próprio exportador), através do Portal Único Siscomex, em substituição ao Registro de Exportação (RE) e à Declaração de Exportação (SD/DDE) que, previamente à implementação da DU-E, eram utilizados na exportação. Este documento é produzido a partir da chave de acesso da nota fiscal eletrônica de exportação, composta de 44 caracteres, e, quando estes dígitos são inseridos no Portal Único, o sistema realiza a leitura de maneira automática, extraindo os dados diretamente do SEFAZ do estado, preenchendo praticamente toda a declaração, ficando pendente o preenchimento manual das informações relativas ao embarque, forma de exportação (por conta própria, conta e ordem de terceiros ou remessa postal/expressa), moeda da negociação, unidade de despacho, local de embarque, peso total, enquadramento da operação, atributos e descrição complementar, condição de venda, comissão de agente (se houver), país de destino, nota referenciada, entre outros dados.

Ao enviar para registro, a DU-E é submetida à validação dos preenchimentos e à depuração estatística. Caso algo discrepante seja detectado, essa mensagem será exibida; caso não haja impedimento, será registrado e gerado um número aleatório composto por 14 dígitos alfanuméricos, começando sempre pelo ano em que ela é registrada, por exemplo, 19BR000001234-3, além de gerar também o número da RUC (caso não tenha sido gerado de forma manual anteriormente). É por meio dessa numeração identificadora que o usuário acompanhará o *status* da liberação alfandegária.

É também nesse momento que o módulo de tratamento administrativo realiza a verificação do controle administrativo aplicável. Quando necessário LPCO, será acusada a necessidade, por isso, conforme comentado no tema "LPCO", é preciso verificar de maneira antecipada a exigência ou não de licenças, permissões, certificados ou quaisquer outros documentos.

A DU-E adequou o controle aduaneiro, administrativo, aos processos logísticos da exportação, de maneira eficaz e segura, que, por intermédio de módulos especializados, compreende as informações aduaneira, administrativa, comercial, financeira, fiscal e logística da operação.

Com o uso da declaração única de exportação, a operacionalização ficou relativamente simples se não fossem os diversos detalhes técnicos a serem verificados e, principalmente, as atualizações frequentes da legislação aduaneira e demais procedimentos envolvidos na exportação.

De fato, a operacionalização da exportação por meio da DU-E simplificou o fluxo da operação de maneira efetiva e a redução de custos e tempo é notória. Após implantação por completo dos demais módulos, como CCT, assim como alinhamento de todos os órgãos anuentes no módulo LPCO, esse ganho em eficiência será ainda maior.

Referência Única da Carga (RUC)

A RUC é um identificador único que dispõe de várias funções de controle da armazenagem e movimentação de cargas, e se baseia em um conceito internacional denominado UCR, obedecendo à recomendação da Organização Mundial das Aduanas (OMA). Por meio desse número, é possível rastrear a carga por qualquer profissional que tenha acesso a ele.

Trata-se de um campo opcional que pode ser preenchido com a própria referência do exportador ou, em caso de não preenchimento, o próprio sistema gerará essa numeração de maneira automática assim que a DU-E for registrada.

Muitos despachantes aduaneiros têm gerado a RUC de maneira manual, caso ainda não tenha o PDF ou XML da NF-e de exportação, a fim de cumprir com o *deadline* (prazo) do armador, quando se trata de exportação marítima, pois no conhecimento de embarque (BL) exige-se a declaração do número da RUC ou da DU-E, não sendo necessário informar ambos.

O formato da RUC corresponde às seguintes informações:

- Ano: ano em que a RUC foi gerada. Ex.: "9" se refere às RUCs geradas em 2019; "0" se refere às de 2020;
- País: país em que a RUC foi atribuída. No caso do Brasil, considerar "BR";
- Exportador: primeiros 8 dígitos do CNPJ do exportador;
- Década: década do ano em que a RUC foi gerada. Ex.: "1" se refere às RUCs entre 2010 e 2019; "2" se refere às RUCs entre 2020 e 2029;
- Referência: série de número entre 1 e 23 caracteres, que pode ser gerada pelo exportador, caso digite manualmente ou pelo sistema. Ex.: a referência do seu controle geralmente do seu sistema ERP.

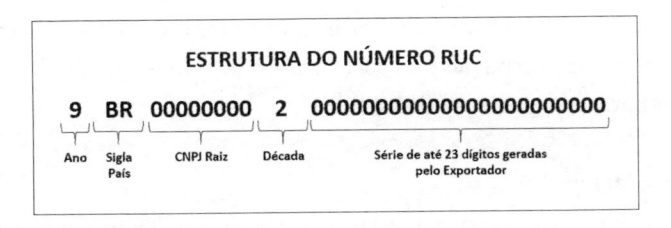

ESTRUTURA DO NÚMERO RUC

9 BR 00000000 2 00000000000000000000000

- 9 — Ano
- BR — Sigla País
- 00000000 — CNPJ Raiz
- 2 — Década
- 00000000000000000000000 — Série de até 23 dígitos geradas pelo Exportador

CANAL DE PARAMETRIZAÇÃO

Após realizado o registro da Declaração Única de Exportação (DU-E), a recepção da mercadoria e das notas fiscais por parte do terminal alfandegado em que será realizada a liberação da mercadoria, a DU-E é apresentada, automática e sistematicamente, para despacho via Portal Único (Pucomex), assim, o sistema a submeterá a uma análise de risco e selecionará o canal de conferência, procedimento conhecido como "parametrização". Após essa parametrização, tanto o despachante aduaneiro quanto o exportador saberão qual foi o canal de conferência parametrizado pela Secretaria da Receita Federal. Com isso, o despachante saberá de que maneira prosseguir com a liberação da mercadoria e, posteriormente, o embarque.

Esse processo é totalmente aleatório e sistêmico. A seguir, é apresentada uma breve explicação sobre o significado de cada canal de parametrização.

Canal verde

Quando a DU-E é parametrizada em canal verde, significa que a exportação foi liberada automaticamente pela Receita Federal, sem qualquer interrupção. Dessa forma, a exportação encontra-se desembaraçada, ou seja, liberada para embarque da mercadoria.

Cabe ressaltar que, caso a DU-E seja parametrizada em canal verde e haja alguma informação errônea, como número do conhecimento de embarque, peso da NF-e divergente do mencionado no conhecimento de embarque, entre outros, isso poderá implicar na averbação da DU-E. Veremos mais detalhes sobre a averbação no decorrer deste livro.

Canal laranja

Em caso de parametrização em canal laranja, significa que os documentos originais ou cópia fiel de sua instrução devem ser apresentados à Receita Federal por meio da funcionalidade Anexação de Documentos Digitalizados do Pucomex. Consiste, geralmente, em conhecimento de embarque, fatura comercial, romaneio de carga e qualquer outro documento que tenha sido informado na DU-E. Após a apresentação dos documentos, a DU-E é distribuída para um auditor fiscal, que fará a conferência desses documentos e da Declaração Única de Exportação. O fiscal tem a prerrogativa de solicitar conferência física da mercadoria, caso julgue necessário.

Canal vermelho

Quando a DU-E é parametrizada em canal vermelho, significa que os mesmos documentos do canal laranja devem ser apresentados (via sistema) à Receita Federal. Após a apresentação, a DU-E é distribuída para um auditor fiscal, que fará a conferência documental e o agendamento da vistoria física. Por fim, o despachante organizará com o terminal a separação da mercadoria conforme solicitado pelo auditor fiscal, para que este realize a conferência física do produto acompanhado do despachante aduaneiro e, geralmente, de um conferente do próprio terminal.

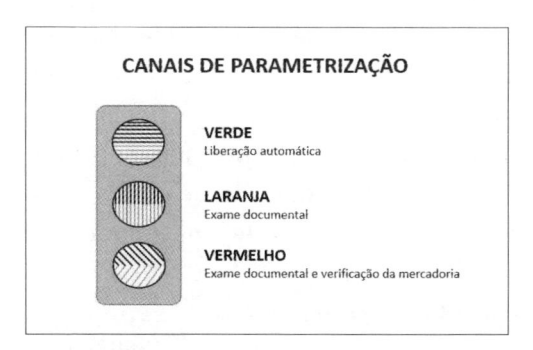

CANAIS DE PARAMETRIZAÇÃO

VERDE
Liberação automática

LARANJA
Exame documental

VERMELHO
Exame documental e verificação da mercadoria

DESEMBARAÇO ADUANEIRO

É o procedimento fiscal de liberação de uma mercadoria junto à Receita Federal, ou seja, o ato final do despacho aduaneiro, em que o órgão federal considera a exportação liberada para embarque. Assim, quando constar no Pucomex "declaração desembaraçada", o despachante aduaneiro dará andamento às devidas tramitações para que o embarque da mercadoria ocorra conforme previsto no *booking* (reserva) junto ao transportador e ao terminal.

Comprovante de exportação

Conhecido como CE, o comprovante de exportação era um documento emitido no passado via Siscomex após o desembaraço da declaração de exportação (SD/DDE). Nele constavam o número da declaração, a data do registro, os dados do exportador, o local de despacho, o embarque, a NF-e relacionada, entre outros dados. Com a implantação da DU-E, esse documento não é mais emitido, dessa forma, concluída a exportação ou transposição da fronteira, o exportador poderá comprovar a operação, mediante fornecimento do extrato da DU-E ao interessado, além do número da chave de acesso ao Portal Único.

Averbação da DU-E

A averbação da DU-E, também conhecida como averbação de embarque, confirma a efetiva saída da mercadoria do país. Uma vez averbada, é o atestado para todas as finalidades, sejam elas fiscais, cambiais ou comerciais. Esse procedimento ocorre de forma automática via Pucomex, desde que as condições estabelecidas pela Receita Federal estejam cumpridas, tais como:

- A DU-E estar desembaraçada.
- A carga ter sido exportada em sua totalidade.
- Haver inexistência de inconsistências e exigências fiscais ativas.

Esse documento é solicitado por bancos, corretoras de câmbio, fabricantes e produtores que exportaram de maneira indireta e órgãos fiscalizadores, como Secretaria da Fazenda do Estado, a própria Receita Federal, entre outros.

A averbação não isenta o exportador de responsabilidades quanto a erros, fraudes, nem aplicações de penalidades por questões administrativas, fiscais, cambiais e penais constatadas após o desembaraço.

MEMORANDO DE EXPORTAÇÃO

O Memorando de Exportação, também conhecido como Documento de Comprovação de Exportação Indireta, era exigido pela Receita Estadual a fim de controlar e comprovar que a nota fiscal de exportação indireta, emitida pelo fabricante ou produtor, desonerada de ICMS, foi de fato exportada pela *trading company* ou comercial exportadora.

Após a implantação da Declaração Única de Exportação, o Convênio ICMS 203/2017 dispensou a elaboração desse documento nas exportações realizadas por meio de notas fiscais eletrônicas.

ENVIO DOS DOCUMENTOS ORIGINAIS DA EXPORTAÇÃO

A maioria das aduanas de diversos países tem como premissa exigir os documentos originais quando recebida uma exportação. Em alguns deles é aceitável somente a cópia fiel desses documentos, emitidas eletronicamente, para que o ingresso ou nacionalização da mercadoria seja realizado no país destinatário. Expliquei detalhadamente sobre cada um desses documentos nesta obra, porém ressalto que os documentos de instrução de exportação previstos no Regulamento Aduaneiro Brasileiro para o despacho aduaneiro são:

I – Cópia do *draft* ou do original do conhecimento de carga (AWB, MIC/DTA e CRT ou BL) ou documento equivalente (a via original desse documento será disponibilizada somente após o embarque da mercadoria).

II – Via original da fatura comercial (*commercial invoice*), assinada pelo exportador.

III – Romaneio de carga (*packing list*), quando aplicável, assinado pelo exportador.

IV – Outros exigidos exclusivamente em decorrência de acordos internacionais ou de legislação específica.

Cabe ressaltar que, para o deferimento da LPCO de produtos com anuência de órgãos, como Anvisa, Ministério da Agricultura, Ibama, Polícia Federal, ANP, Exército, entre outros, é necessário observar legislação específica de cada órgão, que definirá o procedimento e os documentos necessários.

Antigamente, a Receita Federal e demais órgãos exigiam a apresentação dos documentos originais fisicamente, porém, com a implantação do Portal Único do Comércio Exterior (Pucomex), eles devem ser apresentados digitalmente, reduzindo a burocracia e o uso de papel. Alguns auditores fiscais da velha guarda relutam em utilizar somente documentos digitalizados e alguns ainda solicitam a apresentação física, em caso de canal laranja ou vermelho. De qualquer forma, isso não exime o exportador de guardar os documentos originais físicos da exportação pelo prazo de cinco anos.

O envio dos documentos originais físicos do exportador brasileiro ao importador estrangeiro varia conforme o modal e a exigência do comprador. Eu sugiro que, antes da emissão dos documentos finais por parte do exportador, um *draft* (esboço, rascunho) de cada um seja enviado por e-mail ao importador antes do embarque, para que ele os confira ou envie ao seu despachante aduaneiro para análise prévia, aprovação ou solicitação de correção.

Independentemente do modal a ser utilizado, a Receita Federal Brasileira não tem acesso aos documentos de exportação até que lhe sejam apresentados. Feito isso, não é possível substituí-los, dessa forma, antes de enviar a cópia fiel dos originais ao seu despachante aduaneiro após aprovação de emissão do importador, tenha certeza absoluta de que eles estão de acordo com a legislação brasileira.

É importante esclarecer com o importador, antes de realizar a venda, quais documentos e/ou certificações serão exigidos do exportador brasileiro, assim ele poderá se certificar de que conseguirá cumprir com todos eles. Essa solicitação dos documentos deve partir do comprador, o exportador não tem como saber quais documentos a aduana do país comprador exigirá quando receber essa mercadoria em seu país.

Após aprovação final pelo importador e/ou despachante aduaneiro, o exportador finalizará a emissão dos documentos e enviará por e-mail uma cópia fiel digitalizada de cada um deles. Em posse dessas cópias, o importador estrangeiro montará a instrução de desembaraço e enviará ao seu despachante aduaneiro, para que ele prepare a liberação aduaneira antecipadamente no país destinatário. Com isso, quando a mercadoria chegar à aduana do país comprador, o processo de desembaraço alfandegário será realizado com a maior brevidade possível.

No modal rodoviário, por se tratar de um processo logístico relativamente rápido, sugiro que o exportador coloque todos os documentos pertinentes dentro de um envelope e os entregue à transportadora no ato da coleta, para que siga para o importador junto do motorista e o preposto do despachante aduaneiro tenha acesso aos originais na chegada do caminhão à fronteira. Dessa forma, é importante deixar a transportadora ciente da relevância dos originais para a liberação da mercadoria tanto do lado brasileiro quanto do lado estrangeiro, responsabilizando-a pela sua custódia, a fim de evitar extravios em caso de troca de motorista ou transbordo de mercadoria e alteração de caminhão.

No modal aéreo, por se tratar de uma exportação também ágil do ponto de vista logístico, em que a carga é despachada do Brasil (origem) e em poucos dias chega ao aeroporto ou local designado de destino, os documentos originais devem ser entregues em mãos ao agente de cargas durante a coleta da mercadoria, independentemente do *incoterm* negociado. Dessa forma, quando a aeronave pousar no aeroporto de destino, o despachante aduaneiro do importador terá acesso aos originais junto da companhia aérea ou agente de cargas. Nessa modalidade, ressalto que não é aconselhável colocar os documentos dentro dos volumes ou anexados a eles, pois, como a mercadoria fica armazenada no aeroporto, o despachante do importador no destino não terá acesso facilmente à carga e, para isso, será necessário pagar pela movimentação da mercadoria para obter esses originais. Por isso, é importante a entrega dos documentos pelo exportador ao agente de cargas na origem no ato da coleta da mercadoria. No modal marítimo, devido ao trânsito (*transit time*) longo, se comparado aos outros, os documentos originais físicos são despachados ao importador via *courier* após o embarque da mercadoria. Por conta desse trânsito longo, há tempo suficiente para despachá-los até que a mercadoria chegue ao país do importador. Nesse modal, é muito importante verificar com o exportador se o conhecimento de embarque marítimo (*Bill of Lading* (B/L)) será emitido e liberado na origem ou se será liberado no destino (*Express/Telex Release*). Se for a primeira opção, o exportador deverá retirar o jogo de BL original (três vias originais e três não negociáveis) junto ao agente de cargas ou armador, para o envio completo dos documentos ao importador.

15º CAPÍTULO
"A EXPORTAÇÃO É UMA REALIDADE"

INSTITUIÇÕES DE APOIO AO EXPORTADOR

Diversas instituições brasileiras, de direito privado ou sociedade civil, em sua maioria sem fins lucrativos, com viés econômico e social, fomentam o empreendedorismo no Brasil e, por consequência, a exportação de produtos e serviços brasileiros. Por meio de projetos e programas específicos de acordo com a demanda do empresário ou da oportunidade por elas encontrada, atuam fortemente na disseminação de conhecimento, capacitação, consultoria, entre outras atividades. Dentre elas, gostaria de destacar as instituições de maior alcance e de maior protagonismo em suas atuações.

Agência Brasileira de Promoção de Exportações e Investimentos (Apex-Brasil)

A Apex-Brasil é uma instituição de direito privado, sem fins lucrativos, de interesse coletivo e de utilidade pública. É dela a competência de executar políticas de promoção às exportações brasileiras, cooperando com o desenvolvimento, em particular, das áreas industrial, comercial, de serviços e de tecnologia das empresas nacionais, com enfoque especial às exportações de produtos e serviços de empresas de pequeno e médio porte.

Também é responsabilidade da Apex aumentar o número de exportadoras, agregar valor ao produto nacional, consolidar a presença em mercados tradicionais e abrir novos mercados no exterior, organizar missões comerciais, rodadas de negócios, e fazer com que essas empresas participem de feiras internacionais.

Por meio de programas específicos, de acordo com a demanda do empresário brasileiro, como o Programa de Qualificação para Exportação (Peiex), o exportador terá o auxílio de profissionais especializados, com atendimento individualizado, para identificar o potencial do seu produto para venda em outros países, soluções nas áreas administrativa, de recursos humanos, financeira, de custos, de comércio exterior, entre outras, além de ter acesso às informações dos mercados internacional, de promoção comercial e de estratégia para internacionalização, fomentando a marca *Made in Brazil*.

Essa instituição tem um papel protagonista nas exportações brasileiras, além de ser responsável por atrair grandes volumes de investimentos estrangeiros para setores estratégicos da economia brasileira.

Confederação Nacional da Indústria (CNI)

A Confederação Nacional da Indústria é a representante máxima do setor industrial brasileiro. Tem como missão apoiar o desenvolvimento do país de forma sustentável e equilibrada nas esferas econômica e social, coordenar o sistema formado pelas 27 federações das indústrias dos estados e do Distrito Federal, além de administrar diretamente o sistema industrial composto pelo Serviço Nacional de Aprendizagem Industrial (Senai), pelo Serviço Social da Indústria (Sesi) e pelo Instituto Euvaldo Lodi (IEL).

A CNI tem dois objetivos principais: atuar na defesa dos interesses da indústria e prestar serviços. Na área de comércio exterior, desenvolve as atividades de elaboração de estudos, disseminação de informações e de métodos de gestão organizacional, suporte às negociações de integração regional, negociação de acordos internacionais de cooperação, participação em conselhos e comitês bilaterais e multilaterais, qualificação de mão de obra e disseminação de métodos de gestão organizacional.

Essa instituição tem um papel protagonista na defesa das indústrias nacionais e estrangeiras baseadas no Brasil, além de ser responsável por promover um ambiente favorável aos negócios, à competitividade e ao desenvolvimento sustentável.

Serviço Brasileiro de Apoio às Micro e Pequenas Empresas (Sebrae)

O Serviço Brasileiro de Apoio às Micro e Pequenas Empresas é uma sociedade civil, sem fins lucrativos, integrante do sistema "S", conjunto de nove instituições de apoio aos profissionais. Auxilia o desenvolvimento das atividades empresariais das micro e pequenas empresas brasileiras, com foco na capacitação, promoção do desenvolvimento econômico, difusão de programas e projetos visando ao aumento da competitividade, fomentando, assim, o empreendedorismo no país. O Sebrae também presta consultoria em questões como abertura de empresas, formação de preço de venda, gestão financeira, recursos humanos, entre outras atividades, inclusive no que diz respeito à atividade exportadora, por meio de feiras, rodada de negócios e cursos específicos da área de comércio exterior.

Essa instituição tem um papel protagonista no empreendedorismo brasileiro. Ganhou visibilidade com a aprovação da Lei Geral da Micro e Pequena Empresa, que deu origem ao regime de tributação Simples Nacional, reduzindo, assim, a burocracia e a carga tributária dessas empresas.

Cabe ressaltar que, além das instituições citadas, há diversas outras, como associações comercial e industrial da sua cidade, associações de classe, além de empresas de consultoria com consultores qualificados e experientes com vasto conhecimento na exportação, que também podem lhe auxiliar no seu projeto, fazendo com que você tenha o devido amparo e o seu negócio, de fato, aconteça.

SISTEMAS PÚBLICOS BRASILEIROS

Os sistemas públicos utilizados no comércio exterior brasileiro, tanto pela Receita Federal quanto pelos órgãos anuentes, são complexos e avançados. Cada um tem sua função própria e procedimento específico para utilização. Dessa forma, os despachantes aduaneiros e demais prestadores de serviços precisam de um conhecimento técnico e profundo para poder utilizá-los devidamente em seu dia a dia, tendo em vista que todas as informações são imputadas diretamente nesses sistemas eletrônicos e, uma vez inseridas, sua retificação ou exclusão só é possível mediante autorização do fiscal do órgão responsável. Dessa forma, todos os profissionais de comércio exterior que tenham acesso a esses sistemas devem se atualizar e se reciclar sobre sua utilização, por meio da leitura dos manuais disponibilizados nas atualizações rotineiras e cursos disponíveis em instituições especializadas nesses temas.

É comum eles ficarem fora do ar quando estão passando por melhorias ou quaisquer reparos. Veremos a seguir as principais funções de cada um deles.

Sistema Integrado de Comércio Exterior (Siscomex)

O Sistema Integrado de Comércio Exterior (Siscomex), implantado em 1993, foi o primeiro sistema computadorizado a integrar as atividades de registro, acompanhamento e controle das operações de comércio exterior do Brasil mediante fluxo único e computadorizado. Por intermédio dele, as operações de exportação e importação foram e são registradas e analisadas pelos órgãos gestores do sistema, que são a Secretaria da Receita Federal do Brasil (RFB), a Secretaria de Comércio Exterior (Secex) e o Banco Central do Brasil (Bacen). Os atos legais, regulamentares e administrativos que alteraram, complementaram ou produziram efeitos sobre a legislação do comércio exterior na época foram implementados no Siscomex concomitantemente à entrada em vigor no país.

Dessa forma, esse sistema permitiu tanto aos órgãos gestores quanto às demais entidades governamentais que intervêm no comércio exterior como anuentes de algumas operações com controle administrativo acompanhar, controlar e interferir no processo de entrada ou saída de produtos do país.

Para processar suas operações de exportação, o exportador tem acesso ao Siscomex a partir de seu próprio estabelecimento; já nas empresas, a admissão se dá desde que disponham dos equipamentos e condições de acesso necessários, utilizem despachantes aduaneiros credenciados no sistema ou utilizem a rede de computadores colocada à disposição dos usuários pela Receita Federal em alguns aeroportos, portos e fronteiras.

Recentemente, foi dado início à implementação do Portal Único do Comércio Exterior, também conhecido como Portal Único Siscomex ou Pucomex, que dará mais dinâmica às operações de comércio exterior no Brasil, conforme veremos a seguir.

Portal Único Siscomex

O Portal Único do Comércio Exterior (Pucomex) é um sistema completo que veio para reformular os processos de exportação, importação e trânsito aduaneiro, dando mais dinâmica e eficiência às operações de maneira harmoniosa e integrando todos os órgãos anuentes, sejam eles públicos ou privados, em uma única plataforma. As informações, que antes eram dispersas em diferentes módulos do Siscomex ou sistemas próprios de cada órgão, foram centralizadas.

Com esse redesenho, os processos terão mais celeridade, contando com três pilares: a integração dos intervenientes, o redesenho dos processos e a tecnologia da informação. Assim, dentro dessa tecnologia, foram empregados recursos tecnológicos modernos para facilitar a gestão dos processos e fluxo de informações.

No módulo de "exportação", tema desta obra em questão, foram disponibilizados campos específicos, como "Declaração Única de Exportação", "Tratamento Administrativo", "Carga e Trânsito", "LPCO", "Visão Integrada", "Anexação de Documentos Digitalizados" e "Classificação Fiscal de Mercadorias".

Dessa forma, o usuário tem uma facilidade considerável e intuitiva de operar considerando o uso de somente um sistema, disponibilizado em *single window* (portal único), assim, todas as operações necessárias para realizar a operação de exportação são efetuadas por meio dessa janela única.

Espera-se, com essa mudança, uma redução drástica de custos operacionais, mão de obra, e que o tempo operacional de exportação seja reduzido em até 40%, além da facilidade na distribuição dos processos digitalizados, agora de forma definitiva, para análise de LPCO ou DU-E em canal laranja ou vermelho, além de facilitar a investigação em caso de irregularidades e atendimento às exigências regulatórias relativas às exportações.

O acesso ao Pucomex é franqueado tanto aos responsáveis legais (diretor, gestor, procurador) das exportadoras quanto aos representantes legais, como despachante aduaneiro, mediante autorização e procuração, e também aos auditores fiscais e técnicos de todos os órgãos envolvidos no comércio exterior brasileiro, como Receita Federal, Ministério da Agricultura, Anvisa, entre outros. Diversos países estão adotando essa mesma metodologia em suas aduanas.

Controle de Carga e Trânsito (CCT)

O módulo de Controle de Carga e Trânsito (CCT) do Portal Único Siscomex é responsável por controlar a entrada, o armazenamento, a unitização, a consolidação, a saída, assim como toda a manifestação e movimentação de cargas de exportação, por meio de recepção de cargas ou documentos, em recintos aduaneiros a serem submetidos ao início ou conclusão de trânsito e despacho aduaneiro de exportação, com base na nota fiscal eletrônica (.xml), contêiner, Referência Única de Carga (RUC), por meio de algum documento de transporte ou pela Declaração Única de Exportação (DU-E). Esse sistema trabalha concomitantemente ao Mantra (aéreo) e ao Siscarga (marítimo), além de atender também o modal rodoviário, que até pouco tempo não tinha *software* específico, conforme os citados. Após implantação completa desse módulo, tanto o Mantra quanto o Siscarga deverão se tornar inoperantes, tendo em vista que o CCT os substituirá.

Esse módulo, integrado com o Pucomex, atende aos padrões internacionais de segurança, tendo em vista todo o gerenciamento de risco efetuado por meio das informações nele inseridas, e por meio de escaneamento da mercadoria. Essas regras se aplicam a todas as mercadorias recebidas nos recintos aduaneiros, tanto de zonas primárias quanto secundárias.

Os usuários diretos desse sistema são os depositários (terminais) e os transportadores (transportadoras, agentes de cargas, armadores e companhia aérea), assim como os despachantes aduaneiros, Receita Federal do Brasil e demais órgãos intervenientes, que deverão atender aos prazos de lançamento de informações e, caso precisem de retificação, seja por erro ou omissão de algum usuário como os citados, isentando os auditores fiscais, sofrerão penalidades altíssimas, aplicadas conforme legislação vigente.

Centro Virtual de Atendimento ao Contribuinte (e-CAC)
O e-CAC é o Centro Virtual de Atendimento ao Contribuinte, o portal de serviços da Receita Federal que permite a comunicação via internet com o contribuinte. É por meio dele que são acompanhados os processos administrativos para obtenção do

Radar-Siscomex (quando não deferido automaticamente via Portal Único), exportação temporária ou qualquer outro tipo de processo aberto, como consulta pública, retificações, restituições etc. O acesso a ele se dá por meio do Certificado Digital, seja e-CPF ou e-CNPJ. Sendo assim, caso queira delegar o acompanhamento dos seus processos no e-CAC, é necessário realizar uma procuração eletrônica ao seu prestador de serviço, determinando data de validade e informações a que poderá ter acesso. Após a implantação do e-CAC, a Receita Federal eliminou o envio de comunicação ao contribuinte via Correios, dessa forma, é primordial o acompanhamento semanal das informações recebidas por esse sistema.

ÓRGÃOS ANUENTES

Há diversos órgãos anuentes nas operações de exportações no Brasil. Explicarei sobre os principais e mais utilizados no dia a dia das exportações brasileiras, porém cabe ressaltar que há diversos outros, como o Instituto Brasileiro do Meio Ambiente e dos Recursos Naturais (Ibama), a Agência Nacional do Petróleo (ANP), o Departamento de Polícia Federal (DPF) e o Ministério da Ciência, Tecnologia, Inovações e Comunicações (MCTIC), cada um com seus próprios procedimentos para emissão das LPCO, agora centralizados no Portal Único Siscomex, porém com legislações específicas.

É muito comum que exportadores nos perguntem se é possível obter qualquer retorno desses órgãos durante os fins de semana. A resposta é negativa, pois, assim como a Receita Federal, eles funcionam somente em dias úteis.

Ministério da Agricultura, Pecuária e Abastecimento (Mapa)

As atividades de vigilância sanitária agropecuária de animais, vegetais, insumos, alimentos para animais, produtos de origem animal e vegetal e embalagens e suportes de madeira importados em trânsito aduaneiro ou exportados pelo Brasil são de responsabilidade do Ministério da Agricultura, Pecuária e Abastecimento (Mapa). O sistema de Vigilância Agropecuária Internacional (Vigiagro) é o órgão da Secretaria da Defesa Agropecuária responsável pelas atividades de vigilância sanitária nos portos, aeroportos, postos de fronteira e aduanas especiais, por meio dos fiscais federais agropecuários. Para a saída de qualquer produto desse tipo do Brasil, deve-se prestar atenção previamente aos requisitos sanitários entre os países e estabelecidos em Instruções Normativas, Portarias e Resoluções.

Para cada categoria de produto, como animal, vegetal, insumos e alimentos para animais, há um procedimento específico para deferimento do LPCO feito por meio do Portal Único Siscomex e submetido à análise dos fiscais agropecuários. Dependendo do tipo de o seu produto, é necessário Registro de Estabelecimento pelo Mapa, como o Serviço de Inspeção Federal (SIF), entre outros. Antes de realizar a venda para o exterior, verifique se a sua empresa e o seu produto atenderão às exigências do Mapa brasileiro e do órgão competente responsável no país de destino. Essas exigências do país destinatário devem ser informadas ao exportador vendedor por meio do importador comprador.

Conforme explicado anteriormente, as embalagens de madeira também são fiscalizadas pelo Mapa, assim como a emissão de Certificado Fitossanitário.

Agência Nacional de Vigilância Sanitária (Anvisa)

A Agência Nacional de Vigilância Sanitária (Anvisa) é uma agência reguladora, vinculada ao Ministério da Saúde. Ela exerce o controle sanitário de todos os produtos e serviços (nacionais, importados ou a serem exportados) submetidos à vigilância sanitária, como medicamentos, alimentos, cosméticos, saneantes, derivados do tabaco, produtos médicos, sangue, hemoderivados e serviços de saúde. Além de ser responsável por aprovar os produtos por meio de cadastros, notificações ou registros, a Anvisa controla os portos, aeroportos, postos de fronteiras e aduanas especiais nos assuntos relacionados à vigilância sanitária. Ela fiscaliza os processos, insumos, todo tipo de tecnologia relacionada à saúde e ambientes para emissão de Autorização de Funcionamento de Estabelecimento (AFE).

Antes do embarque da mercadoria no Brasil, rumo ao país comprador, todas as mercadorias com exigência de LPCO, que têm esse órgão como anuente, devem ser submetidas ao processo de deferimento por meio do Portal Único Siscomex. Alguns países exigem "Certidão de Exportação", que também é requerida via módulo LPCO. O deferimento ocorre após o cumprimento das exigências sanitárias e os fiscais da Anvisa seguem estritamente o estabelecido nas Resoluções (RDC).

Exportadores de produtos para saúde devem ter um responsável técnico com amplo conhecimento na legislação sanitária para auxiliar tanto o departamento de exportação interno quanto o despachante aduaneiro nas transações. Se não houver tal profissional, atualmente há diversas consultorias especializadas em Anvisa que podem assessorá-los; são, em sua maioria, profissionais químicos e farmacêuticos que trabalharam em exportadoras no passado e dispõem desse conhecimento, prestando serviço às empresas brasileiras que vendem ou desejam vender para fora do Brasil, produtos nacionais a serem exportados sob a anuência dessa agência reguladora.

Subsecretaria de Operações de Comércio Exterior (Suext)

A Subsecretaria de Operações de Comércio Exterior (Suext, antiga Decex) é vinculada à Secretaria de Comércio Exterior (Secex), que é subordinada ao Ministério da Economia. Suas principais competências são analisar e deliberar sobre LPCO, tratamento administrativo de Declaração Única de Exportação, de Vendas, de Operações de Crédito e Atos Concessórios de *drawback* nas operações que envolvam regimes aduaneiros especiais e atípicos, *drawback* nas modalidades de isenção e suspensão, realizar estudos econômicos, além de controlar as cotas, preços, pesos, medidas, classificação, qualidades e tipos declarados nas operações de exportação e importação, diretamente ou em articulação com outros órgãos governamentais e departamentos, respeitando as competências das repartições aduaneiras.

Algumas competências foram delegadas à Gecex, que atua regionalmente, analisando alguns tratamentos de LPCO, emissão de Form A e demais atividades. Dessa forma, toda mercadoria que requerer anuência da Suext na exportação, deverá ser submetida a análise e deferimento antes do embarque. Algumas NCMs são analisadas pelo departamento e outras pela gerência, e essa solicitação deve ser submetida a análise por meio do Portal Único Siscomex, quando necessária anuência.

Instituto Nacional de Metrologia, Qualidade e Tecnologia (Inmetro)

O Instituto Nacional de Metrologia, Qualidade e Tecnologia (Inmetro) é uma autarquia federal brasileira, no formato de agência executiva, vinculada ao Ministério da Economia. Entre as principais competências do Inmetro estão: fomentar a utilização de técnicas de gestão de qualidade na indústria nacional, difundir informações tecnológicas – notadamente sobre metrologia, normas, regulamentos técnicos e qualidade –, fortalecer a participação do país nas atividades internacionais relacionadas à metrologia e qualidade, além de promover o intercâmbio com entidades e organismos internacionais.

Dessa forma, para que alguns produtos possam ser exportados e ingressar nos países compradores com as mesmas qualidades exigidas dos fabricantes estrangeiros, o Inmetro atua como ponto focal diante do Acordo sobre Barreiras Técnicas ao Comércio da Organização Mundial do Comércio (OMC), informando sobre as exigências técnicas de cada país.

Assim, quando houver dúvida quanto às exigências técnicas do país comprador, o Inmetro poderá fornecer essas informações para que o exportador tenha ciência, verifique e confirme se os seus produtos atendem a elas. Muitos produtos, mesmo que certificados pelo Inmetro no Brasil, não exigem LPCO na exportação, porém essa análise prévia sobre o país comprador se faz necessária para que se tenha certeza de que o produto ingressará no país destinatário sem nenhum tipo de complicação.

Instituto Brasileiro do Meio Ambiente e dos Recursos Naturais Renováveis (Ibama)

O Instituto Brasileiro do Meio Ambiente e dos Recursos Naturais Renováveis (Ibama) é uma autarquia federal vinculada ao Ministério do Meio Ambiente. No formato de órgão executivo, é responsável por desenvolver atividades para a preservação e conservação do patrimônio natural, exercendo controle e fiscalização sobre o uso de recursos naturais (água, animais, plantas, árvores, solo etc.) e concedendo licenças ambientais de empreendimentos de sua competência.

Na exportação ou re-exportação, regula e fiscaliza espécimes, produtos e subprodutos da fauna e flora brasileira e estrangeira.

Comércio das Espécies da Flora e Fauna Selvagens em Perigo de Extinção (Cites)

Para realizar a exportação de espécimes vivos ou mortos, produtos e subprodutos da fauna ou flora brasileira, seja nativa, silvestre ou exótica, constantes ou não nos anexos da Convenção Internacional sobre o Comércio das Espécies da Flora e Fauna Selvagens em Perigo de Extinção (Cites), é necessário requerer a licença Cites (listada nos Anexos) ou não Cites (não listada nos Anexos), que é emitida pelo Ibama via módulo LPCO do Portal Único de Comércio Exterior. Trata-se de uma licença que atesta que produtores e consumidores, com responsabilidade comum, estabeleceram mecanismos necessários para garantir a exploração de maneira não prejudicial e sustentável. Para a obtenção dessa licença, é necessário apresentar uma série de documentos, conforme estabelecido em Instrução Normativa específica, além do pagamento de uma tarifa. Apesar de ser solicitada via sistema, leva-se uma média de 30 a 45 dias para ser emitida, considerando que há poucos fiscais responsáveis pela emissão desse documento e tem validade de 180 dias.

Previamente ao embarque da mercadoria, a licença Cites ou não Cites deverá ser apresentada ao fiscal da unidade de despacho para que ele confronte os dados com a mercadoria por meio de vistoria física e, em seguida, ateste-o, para que ele seja juntado aos demais documentos da exportação e enviado ao importador, para que tenha acesso a esse documento no ato da chegada da mercadoria em seu país e, assim, possa realizar a liberação aduaneira devidamente.

16º CAPÍTULO
"GESTÃO ADMINISTRATIVA, OPERACIONAL E FINANCEIRA É A BASE DE TODO O SEU PROJETO"

FINANCEIRO

O departamento financeiro de uma empresa normalmente tem que ser organizado, seja ela uma distribuidora, loja de varejo, salão de beleza ou posto de gasolina. Porém, o financeiro de uma exportadora, além de ser organizado, precisa ser disciplinado, ter processos bem desenhados, realizar conciliação bancária de cada lançamento, ter um sistema de gestão que auxilie o controle, disponibilize relatórios e gráficos para análise e melhor gestão dos recursos financeiros da exportadora, além de ter um *backup* diário e *firewall* para proteção dos dados e senhas.

Muitas exportadoras estão quebradas e as pessoas físicas, na qualidade de sócios e empresários, estão ricas, pois descapitalizaram as empresas por mera vaidade pessoal ou da própria família. Assim, prejudicam o desenvolvimento dos negócios e, consequentemente, a construção de um projeto com solidez. Contudo, há muitos que possuem postura diferenciada e sabem separar o financeiro da pessoa física do da pessoa jurídica, e estes são os que mais conseguem ter sucesso em suas empreitadas.

Para ter êxito na exportação, um dos pontos principais é o financeiro da sua empresa. É o coração do seu negócio, que, além de controlar os recebíveis, é responsável pelos pagamentos, tendo, dessa forma, as rédeas da gestão nas mãos. É comum avisarmos ao exportador sobre a previsão de embarque da mercadoria e ele reclamar, alegando não ter recursos financeiros para cobrir o pagamento do numerário das despesas logísticas aduaneiras. Cadê o planejamento financeiro dessa empresa? Diante disso, gostaria de transmitir algumas informações para que, de posse delas, os exportadores não passem por essas situações e tenham total controle da operação, possibilitando, assim, bons resultados.

O fluxo de caixa de uma exportadora é totalmente diferente do de empresas que só trabalham no mercado interno. Devemos lembrar que, na exportação, quando o exportador é o próprio fabricante, é necessário adquirir matéria-prima e embalagem, arcar com todas as despesas da indústria e ter ciência de que, ao realizar a venda dos produtos no mercado externo, a cobrança do pagamento poderá ser feita parte antecipada, parte após a confirmação de embarque e, até mesmo, por carta de crédito. Dessa forma, manter um fluxo de caixa em um padrão saudável é algo complexo, porém possível. Tudo depende do nível de agressividade com que o exportador deseja crescer e do capital de giro disponível.

A fonte de recursos financeiros de uma exportadora pode ser variada, sempre devendo levar em consideração o custo do capital. Usualmente, emprega-se capital próprio do sócio, sócios ou investidores-anjo, empréstimo bancário ou linhas de crédito. Quem tem capital disponível consegue realizar fechamentos de câmbio nas melhores datas, obtendo uma ótima taxa de paridade e aumentando o lucro da operação. Outro ponto importante é pagar os fornecedores no mercado interno conforme a data estabelecida, além dos prestadores de serviços envolvidos na operação, pois credibilidade é essencial para qualquer tipo de negócio.

Qual o capital necessário para começar as operações de exportação? Tudo depende do tamanho do negócio, da quantidade de colaboradores, do custo fixo, do estoque inicial necessário, do tempo de produção e do capital reservado para investir nas operações de exportação, o que deve ser verificado no plano de negócios. Independentemente do capital necessário, uma coisa é fato: o administrador da exportadora deve estar no controle e ter a certeza de que as melhores ações estão sendo tomadas para que a empresa cresça solidamente. Um fato interessante é a maneira que os exportadores chineses trabalham, geralmente eles recebem um sinal de 30% do valor do pedido para adquirir matéria-prima e produzir a mercadoria; antes de embarcar esse lote para o exterior, eles recebem os 70% restantes, ou seja, eles trabalham com o dinheiro do comprador. Essa medida pode ser adotada pelo exportador brasileiro desde que negociada previamente com o importador comprador.

Sempre mantenha um bom relacionamento com o gerente do banco e não dependa somente de um. Independentemente de precisar ou não no momento, sempre deixe linhas de crédito pré-aprovadas, pois, em casos de emergência, os recursos estarão disponíveis rapidamente, com taxas de juros bem negociadas.

Capital de giro

Outro ponto importante para realizar exportações viáveis é entender quanto de capital de giro será necessário para ter um financeiro saudável e prosperar no seu ramo de atuação. Capital de giro significa capital de trabalho, ou seja, o montante necessário para financiar a continuidade das operações da empresa como um todo. Se ela estiver sendo constituída, devemos considerar que, até habilitá-la e transformá-la em exportadora, mais o tempo para desenvolver o comprador, receber o pedido, providenciar a fabricação e o embarque da mercadoria, será necessária uma quantia de capital considerável para suportar todo esse período, além dos custos fixos e variáveis da empresa. Também devemos considerar que as primeiras exportações poderão ser pagas a prazo, até que se estabeleça um relacionamento com o cliente, possibilitando receber, no médio prazo, pagamento antecipado ou à vista.

Se o seu ramo de atuação for de um produto de alto giro, muitas vezes será preciso produzir grandes quantidades para suprir toda a demanda, pois, caso você não atenda seu cliente no mercado externo, ele poderá comprar do seu concorrente, resultando na perda do freguês e da credibilidade. Por isso, é muito difícil dizer o valor monetário necessário, pois varia de acordo com a quantidade e o tipo de produto que você deseja exportar.

Se a sua empresa estiver estabelecida há um bom tempo, sem inadimplência perante o mercado e com bons contratos, é possível obter financiamento de exportação pelo banco com o qual trabalha, ou até mesmo capital de giro de longo prazo com taxas de juros reduzidas. Caso necessário, busque um sócio investidor. A fonte de recursos financeiros para a exportadora pode variar, conforme citado anteriormente, mas sempre levando em consideração a licitude desses recursos.

Não ter capital de giro suficiente para realizar suas exportações pode comprometer a continuidade das atividades da sua exportadora e de todo o seu negócio como um todo.

CRONOGRAMA DE VENDAS INTERNACIONAIS

O cronograma de vendas internacionais é muito mais complexo do que uma previsão de venda no mercado interno, considerando todas as variáveis envolvidas na operação. Um planejamento antecipado é primordial para qualquer exportadora organizada, e essa atividade deve ser compactuada com praticamente todos os departamentos da empresa: o setor de compras, o financeiro, o logístico e o comercial. Se bem elaborado, o plano prévio de vendas fará com que sua empresa fique mais competitiva, as exportações sejam viáveis e a empresa tenha o lucro desejado.

Qualquer erro nesse cronograma poderá comprometer o lucro almejado, pois a troca de modais, em caso de emergência ou depreciação da moeda real (R$) perante a moeda estrangeira utilizada na formação de preço, seja em dólar americano (USD) ou euro (EUR), pode inviabilizar completamente suas operações.

Cada exportação realizada tem um custo diferente devido à flutuação cambial, conforme mencionado e demais fatores. Dessa forma, sugiro realizar diversos estudos com sua equipe e seu despachante aduaneiro para determinar um "lote econômico", ou seja, o mínimo a ser exportado para que o custo unitário em moeda estrangeira fique parelho com as exportações realizadas anteriormente, e para que venha a ser utilizado como base para vendas futuras.

Nem sempre será possível alterar o valor de venda a cada exportação. É necessário atentar à quantidade que cada importador pedirá para que a fabricação seja programada conforme o prazo de entrega prometido. Cada cliente deverá cumprir com o pedido mínimo de acordo com a política interna do exportador/fabricante. Se houver um histórico de vendas dos anos anteriores ou uma previsão anual, estabeleça com os importadores essa estimativa (*forecast*) de compra, para que sua produção se programe antecipadamente.

Esse *forecast* é mais um fator estratégico da exportadora. Na exportação, devemos sempre considerar os seguintes fatores: tempo de produção no Brasil, *transit time* de acordo com cada modal a ser utilizado e trâmite de nacionalização no destino. Por exemplo, um contêiner de compensados de madeira de um fabricante brasileiro leva uma média de quinze dias para ser produzido, mais sete dias para operacionalizar a exportação, mais 25 dias de *transit time* do porto de Paranaguá até o porto de Livorno, na Itália, e aproximadamente mais dois dias de liberação alfandegária no destino; dessa forma, temos o total de 49 dias. Tendo a informação de quanto tempo esse importador levará para revender esse pedido, o exportador poderá estabelecer um cronograma.

Além disso, devemos atentar a possíveis feriados no Brasil (terra dos feriados), que podem atrasar tanto a fabricação do pedido quanto a liberação aduaneira. Sendo assim, nenhum pedido do importador poderá ser deixado para o último minuto. Vende bem quem compra bem, ou seja, quem tem o produto produzido e disponível no dia certo, na hora certa e no período certo. Ao vender antecipadamente, com uma margem de folga, será possível negociar tarifas de frete internacional, pois, principalmente do Brasil para a Itália, elas sofrem variações semanalmente. Havendo um planejamento adequado, o exportador poderá verificar quais são os melhores períodos de baixa do frete internacional para encaixar seus pedidos de vendas, reduzindo custos e maximizando os resultados da operação tanto para o exportador quanto para o importador. Caso trabalhe com produtos sazonais, deverá ser mais rigoroso no planejamento, pois, ao perder o *timing*, o importador, seu cliente, ficará com o estoque encalhado para o ano seguinte e todo o capital investido parado, comprometendo a realização de novas compras.

Para estabelecer esse cronograma de vendas programadas com seu cliente, é importante definir um planejamento de curto, médio e longo prazos. Ademais, é conveniente ter um estoque de segurança pelo menos de matéria-prima e embalagem para que, a cada aproximação do estoque mínimo preestabelecido, seu sistema acuse a necessidade de novas compras. Falarei mais sobre isso na sequência. Além de esse tópico ser um fator estratégico, é extremamente relevante para a qualidade de atendimento aos clientes, aumento da credibilidade e crescimento da sua empresa. Falta de planejamento é muito comum nas empresas brasileiras, principalmente nas exportadoras. A fim de evitar incêndios, é primordial uma atitude proativa de todos os setores envolvidos supracitados para haver um ponto de equilíbrio e, principalmente, viabilidade nas operações.

ESTOQUE

O estoque representa a armazenagem dos insumos, embalagens e produtos acabados a serem produzidos ou comercializados, podendo ter várias formas de administração e controle. Seu bom gerenciamento é essencial para a estratégia comercial da exportadora, tendo em vista que a má administração pode comprometer suas atividades comerciais. Caso a exportadora não seja o fabricante, sugiro esse controle com o seu fornecedor do mercado interno, a fim de evitar contratempos em suas vendas internacionais. A seguir, os conceitos de estoque mais utilizados pelas exportadoras.

Estoque mínimo

É o composto mínimo determinado para que haja nova solicitação de compra aos fornecedores do mercado interno caso o fabricante seja o próprio exportador, ou que a comercial exportadora tenha determinado com o fabricante um estoque mínimo para atender aos seus pedidos internacionais.

Estoque consignado

Na exportação, há a opção de exportar em consignação, ou seja, é o estoque já disponibilizado no armazém dos importadores em seus países. Conforme citado anteriormente, uma vez ocorrida a venda dessa mercadoria no exterior, tanto parcial quanto total, o exportador deverá realizar o fechamento de câmbio, ingressando no Brasil esse valor monetário correspondente à quantidade comercializada, devendo, assim, realizar as regularizações necessárias, alterando de "exportação em consignação" para "exportação definitiva" junto à Receita Federal do Brasil e Estadual da sua jurisdição.

Estoque sazonal

Esse tipo de estoque é adotado quando a exportadora prevê uma demanda futura para datas sazonais ou quando exporta produtos que sofrem de entressafra, como é o caso de frutas, legumes, entre outros, devendo adquirir mais mercadoria que o habitual para o seu estoque, atentando sempre aos prazos de validade e cuidados para armazenagem.

Entender os tipos de estoques e gerenciá-los assertivamente permite que o planejamento logístico seja elaborado e cumprido adequadamente. Estoque cheio pode significar muito dinheiro parado, ao mesmo tempo que estoque vazio pode significar perda de vendas. Lembre-se de que o equilíbrio é primordial para o seu negócio. Muitos exportadores utilizam o sistema *Just in Time*, adquirindo e exportando somente aquilo que está previsto para vender em determinado período. Porém, em um país como o nosso, diante de tantas variáveis envolvidas na exportação, aconselho a não adotá-lo, tendo sempre um estoque de segurança adequado ao seu negócio.

INCENTIVOS, BENEFÍCIOS FISCAIS E REGIONAIS

Alguns incentivos e benefícios fiscais na exportação devem ser sempre analisados de perto, pois qualquer redução concedida dentro da lei é de grande valia ao exportador. Redução de custos, despesas e impostos significa produto mais competitivo no mercado externo.

É importante ressaltar que, para usufruir de qualquer incentivo ou benefício fiscal, é necessário analisar as diretrizes a serem seguidas. Qualquer vírgula fora do exigido pela Subsecretaria de Operações de Comércio Exterior (Suext), subordinada ao Ministério da Economia, Receita Federal ou Receita Estadual, poderá descaracterizar o usufruto dessas vantagens. Mostrarei as características dos principais a seguir.

Regime Especial de Reintegração de Valores Tributários para as Empresas Exportadoras (Reintegra)

O Regime Especial de Reintegração de Valores Tributários para as Empresas Exportadoras (Reintegra) é um incentivo concedido pelo Governo brasileiro. Por meio de legislação específica, concede a devolução parcial ou integral do resíduo tributário sobre a receita auferida na exportação dos itens (matéria-prima, embalagem etc.) adquiridos no mercado interno, utilizados na cadeia produtiva destinados à exportação.

Há muitos exportadores que desconhecem o Reintegra e não entram com o pedido de ressarcimento, perdendo, assim, uma grande oportunidade de usufruir desses créditos que podem ser ressarcidos em espécie ou por compensação de tributos federais vencidos ou vincendos. Há muitas discussões acerca da redução do percentual realizado recentemente.

Esse incentivo se aplica a fabricantes e produtores que exportam direta ou indiretamente, que têm a NCM dos produtos exportados prevista na legislação e desde que não estejam enquadrados no Simples Nacional.

Drawback

O regime aduaneiro especial de *drawback* consiste na suspensão ou eliminação de tributos incidentes sobre insumos importados ou adquiridos no mercado interno, para utilização na cadeia produtiva, destinados à exportação. Esse mecanismo funciona como um incentivo às exportações brasileiras, reduzindo os custos de produção de mercadorias destinadas ao mercado externo e tornando-os mais competitivos no meio internacional. Há uma série de modalidades de *drawback*, tais como isenção, suspensão e restituição. Para usufruir desse regime, é necessária a abertura de um ato concessório informando o montante a ser importado, exportado, NCMs, entre outros dados, que o percentual agregado corresponda ao esperado pela legislação e que a exportadora não esteja enquadrada no Simples Nacional. A exportação do produto importado sob esse regime deverá ser efetuada em até um ano, prorrogável por mais um ano. A análise, a concessão e o controle desse ato são realizados de maneira sistêmica pela Subsecretaria de Operações de Comércio Exterior (Suext), subordinada ao Ministério da Economia.

Drawback integrado isenção

A modalidade *drawback* isenção permite ao exportador repor o estoque de insumos importados, utilizados na industrialização de produto final já exportado. Dessa forma, a indústria (importadora/exportadora), no ato da nacionalização, isentará os impostos de importação, tais como Imposto de Importação (II), IPI, PIS-importação, Cofins-importação, ICMS e Adicional de Frete para a Renovação da Marinha Mercante (AFRMM), referente à quantidade e à qualidade equivalentes ao lote exportado.

Drawback integrado suspensão

A modalidade *drawback* suspensão é a mais utilizada, devido à facilidade em conseguir a concessão mediante registro do ato concessório previamente à nacionalização das importações de insumos destinados à industrialização. Dessa forma, a indústria (importadora/exportadora), no ato da nacionalização, suspenderá os impostos de importação, tais como Imposto de Importação (II), IPI, PIS-importação, Cofins-importação, ICMS e Adicional de Frete para a Renovação da Marinha Mercante (AFRMM); após realizada a exportação do produto final, a suspensão se converterá em isenção e, uma vez alcançado o montante declarado no ato, solicitará a baixa desse ato concessório, finalizando o compromisso assumido.

Drawback restituição

A modalidade *drawback* restituição é praticamente não utilizada e se aplica na restituição dos tributos pagos na importação de mercadoria beneficiada e exportada, no caso de não ser realizada nova importação do mesmo insumo para reposição do estoque, dessa maneira, solicita-se a restituição do Imposto de Importação (II), IPI, PIS-importação, Cofins-importação, ICMS e Adicional de Frete para a Renovação da Marinha Mercante (AFRMM) recolhido. É importante esclarecer que essa restituição poderá ocorrer em crédito em conta-corrente bancária indicada ou em crédito fiscal, para que seja utilizado como compensação tributária.

As modalidades isenção e suspensão são administradas pela Subsecretaria de Operações de Comércio Exterior (Suext), antigo Decex, já o *drawback* restituição, diretamente pela Receita Federal do Brasil.

Há outras modalidades de *drawback*, como "*drawback* genérico", "intermediário", que concedem benefícios tributários na compra de matéria-prima, secundária e embalagens do mercado interno, assim como o envolvimento de terceiros, entre outros.

ZONA DE PROCESSAMENTO DE EXPORTAÇÃO (ZPE)

As Zonas de Processamento de Exportação (ZPE) foram criadas para atrair e fomentar o investimento de capital nacional e estrangeiro, a difusão tecnológica, a geração de empregos e o desenvolvimento econômico e social das regiões consideradas menos desenvolvidas no Brasil.

São áreas de livre comércio com o exterior, destinadas à instalação de indústrias focadas na produção de bens destinados preponderantemente à exportação, sendo consideradas zonas primárias para efeito de controle aduaneiro. Aplica-se a essas empresas a suspensão de impostos, contribuições federais e estaduais na importação de matéria-prima, embalagem, na aquisição de bens de capital novos e usados a serem incorporados no ativo imobilizado e, da mesma forma, nas aquisições do mercado interno, maior liberdade cambial com a opção de manter os recebíveis cambiais em moeda estrangeira no exterior, além do usufruto de procedimentos administrativos simplificados e dispensa de licenças e autorizações desde que não sejam associadas ao controle sanitário ou proteção do meio ambiente.

Atualmente, temos 24 ZPEs espalhadas pelo território brasileiro. A concessão ao industrial é de 20 anos, podendo ser prorrogada caso comprove investimentos de longo prazo. Em algumas ZPEs há a redução inclusive no IRPJ pelo prazo de 10 anos a contar do início das atividades, além de algumas cidades concederem isenção do IPTU por um período preestabelecido.

Há um projeto de lei tramitando no Congresso Nacional requerendo o aumento do percentual de 20% para 40% da venda para o mercado interno, e é importante ressaltar que os produtos revendidos no mercado interno não usufruem de benefícios tributários, tendo que recolher integralmente também os impostos da entrada. Todos esses benefícios aumentam consideravelmente a competitividade dos produtos brasileiros destinados ao exterior.

17º CAPÍTULO
"OS PAÍSES MAIS DESENVOLVIDOS SÃO OS MAIORES EXPORTADORES"

CAPACITAÇÃO DO PROFISSIONAL INTERNO

Responsável pelo departamento de comércio exterior da indústria ou da comercial exportadora, o profissional interno deve ter um amplo conhecimento de negociação internacional, logística nacional e internacional, tributação na exportação e documentação.

Além disso, deve ser um bom líder, pois conduzirá todo o processo juntamente com os prestadores de serviço envolvidos na operação, como agentes de carga, despachantes aduaneiros, transportadoras, terminais de carga e compradores estrangeiros. Não é incomum esse profissional sofrer uma pressão exacerbada por parte dos outros departamentos, assim como do próprio cliente comprador, então é importante ter muita inteligência emocional para lidar com essa rotina, que exige bastante atenção, organização e sensibilidade. Quando a contratação de um profissional interno para gerenciar somente esse departamento não é justificável, ele também pode ficar encarregado do setor de logística ou vendas, conforme a empresa preferir.

Caso não tenha o conhecimento necessário para lidar com os desafios da exportação, é essencial que ele seja capacitado.

Hoje em dia há muitos cursos e treinamentos focados nessa área; tendo vontade de aprender, ficará preparado em um curto espaço de tempo. Sempre sugiro que não espere o conhecimento cair no colo, e sim que vá atrás dele, seja em livros, na internet ou questionando outros profissionais da área. No comércio exterior, tudo é baseado no Regulamento Aduaneiro, Instruções Normativas, Portarias e demais legislações; após aprender o caminho, tudo fica mais fácil.

Na exportação das pequenas e médias empresas, por ser algo muito estratégico e, muitas vezes, um dos seus principais pilares, muitos diretores se fazem presentes ou procuram manter o departamento de comércio exterior por perto, pois conhecem a burocracia que existe nessa área. Por isso, além do foco no profissional interno que gerencia o departamento de exportação, é de extrema relevância mapear quem são os prestadores de serviços externos, que são cruciais também para o sucesso das suas exportações, conforme veremos a seguir.

PRESTADORES DE SERVIÇO

Uma vez decididos os prestadores de serviço que atenderão aos seus processos de exportação, será necessário ter uma boa comunicação e confiança no serviço prestado. Se houver alguma discordância ou dúvida, deve-se esclarecê-la prontamente, a fim de não criar mal-entendidos que prejudiquem o relacionamento e, consequentemente, o andamento das operações.

É muito comum que exportadores desconfiem de alguma alteração na legislação ou na cobrança de determinada taxa. Muitos se fecham e buscam esclarecer essas dúvidas com profissionais que não os seus prestadores de serviço atuais, impedindo que haja um ponto final no assunto. O ser humano, como profissional, cresceu em idade, mas não amadureceu. O feedback ao prestador de serviço é de extrema relevância para que ele o conheça melhor e aperfeiçoe o fluxo da operação; sem isso, ele poderá se acomodar e permanecer na zona de conforto, atendendo-o por vários anos de uma maneira indesejada.

As mudanças de legislação e procedimentos são constantes na exportação. Ora a vistoria do Mapa tem que ser solicitada antes da estufagem do contêiner, ora a fumigação com Brometo de Metila deve ser realizada somente em recinto alfandegado, e assim por diante. As mudanças são tantas que até mesmo para o prestador de serviço fica difícil acompanhá-las. Por isso, uma dica que procuro transmitir aos exportadores é o de externar seu feedback, ser sincero e confiar. Também é importante ouvir o outro lado para que a parceria se fortaleça, possibilitando ótimos resultados juntos.

Contabilidade

É muito comum empresários de pequenas e médias empresas reclamarem dos contadores ou dos escritórios de contabilidade, dizendo que não dão retorno, que não fizeram isso ou aquilo, entre outras coisas. Todas as vezes que ouço alguma reclamação, realizo três perguntas:

- Você já conversou sobre isso com o seu contador?
- Essa solicitação realmente é da alçada da contabilidade?
- Foi negociado algum honorário à parte para o seu contador realizar essa atividade não atendida?

O que percebo é que há um certo receio de substituir o contador ou escritório de contabilidade, pelo apego emocional, pois o prestador o atende há muitos anos. É necessário lembrar que, antes de reclamar do contador, deve-se pensar se ele tem competência para resolver o que foi solicitado.

Outro ponto é negociar um honorário à parte, pois a maioria dos exportadores acredita que tudo está dentro do cobrado mensalmente, o que não é certo. Também é importante perceber que, se a sua empresa crescer, o contador poderá não ser competente o suficiente para prestar as assessorias contábeis e fiscais necessárias. Por isso, em algum momento poderá ser necessário substituí-lo.

O que chama muito atenção é que o número de reclamações é maior que o de elogios. Vale ressaltar que hoje, diante da quantidade de obrigações acessórias impostas aos contadores, eles acabam deixando de dar um retorno satisfatório ao cliente.

Se o escritório de contabilidade não se desenvolve conforme o mercado e suas mudanças, a tendência é que permaneça parado no tempo, sem condições de dar as respostas tão solicitadas pelos empresários.

Um exemplo clássico é quando enviamos uma proposta comercial para realizar a habilitação no radar-siscomex da empresa junto à Receita Federal e o cliente diz que o contador providenciará. Após algum tempo, percebemos que o processo ficou parado e quem se prejudicou foi o empresário. Não por culpa do contador, mas sim do contratante, que quis economizar sabendo que aquele não tinha *know-how* nem tempo para executar esse serviço em específico.

É imprescindível que o contador ou escritório de contabilidade que assiste ao exportador entenda realmente de exportação, dos impostos federais e estaduais imunes, isentos ou suspensos e dos créditos em conta gráfica de acordo com o enquadramento da empresa, como o Reintegra.

Despachante aduaneiro

A escolha de um despachante aduaneiro competente é outro ponto-chave para o sucesso nas suas operações de exportações. Ele é o representante do exportador junto à Receita Federal e demais órgãos na liberação das mercadorias exportadas, portanto, deverá possuir uma procuração da empresa representada e estar incluso no Radar-Siscomex da sua empresa. Diante do crescimento das exportações brasileiras, o número de despachantes aduaneiros no mercado cresceu exponencialmente, porém muitos não têm conhecimento algum sobre exportação. Isso ocorre porque, em um passado recente, não era necessário exame para obter o registro de despachante aduaneiro. É importante fazer uma análise criteriosa de quão bom é o profissional escolhido e, para isso, cito alguns pontos a serem questionados:

- Saber quanto tempo de mercado ele tem e as referências comerciais a serem contatadas.
- Testar a capacidade profissional do prestador de serviço e verificar sua idoneidade.
- Verificar se ele possui conhecimentos sobre a liberação (desembaraço aduaneiro) do produto que deseja exportar. Além de palavras, deve-se solicitar documentos comprobatórios de exportações anteriores.
- Verificar se ele firmará um contrato de prestação de serviço com a sua empresa, informando principalmente as responsabilidades dele e as suas. É importante colocar uma cláusula de sigilo de informação nesse contrato, para que ele não possa revelar detalhes das suas exportações a nenhum de seus concorrentes.
- Confirmar se ele é vinculado a um Sindicato ou Federação. Se sim, averiguar a veracidade dessa informação após a reunião.

Escopo do cliente exportador

O escopo do cliente é a definição de procedimentos acordados entre o exportador e o prestador de serviço, no caso o despachante aduaneiro ou comissária de despachos. Uma vez aprovada a proposta de honorários desse profissional, ele deverá reunir-se com o contratante para estabelecer procedimentos, traçar os pontos-chave da operação e obter informações detalhadas sobre os produtos exportados e os destinos, para que o despachante não seja pego de surpresa, como a necessidade de anuência de órgãos intervenientes, definir se as despesas aduaneiras serão pagas diretamente pelo exportador ou repassadas aos despachante para que ele realize essa gestão, verificar se haverá necessidade de fumigação em caso de utilização de embalagem de madeira, emitir Certificado Fitossanitário, Certificado de Origem, Form A ou algum certificado específico, como CNCA,[7] quando houver exportação para Angola, verificar se os documentos originais finais da exportação (conhecimento de embarque, fatura comercial, romaneio de cargas, entre outros) devem ser despachados ao importador diretamente do escritório do despachante, se há algum regime especial adotado, o endereço de correspondência para envio do fechamento do processo ao exportador, se os *drafts* (rascunhos) dos documentos da exportação devem ser conferidos previamente pelo importador estrangeiro, se há necessidade de consularizar os documentos, entre outras informações.

Após o levantamento dessas informações, o despachante aduaneiro as lançará no seu sistema interno (ERP), para que os colaboradores responsáveis por atender o exportador tenham acesso a elas e possam proceder às diretrizes estabelecidas.

Follow-up

Trata-se de uma ferramenta de acompanhamento do processo, oferecida ao exportador pelo agente de cargas, despachantes e transportadoras. Com ela, tem-se acesso às informações da liberação da mercadoria junto à aduana brasileira, do embarque, do trânsito internacional, sem precisar contatar os prestadores de serviço a todo o momento. Esse *follow-up* poderá ser recebido por e-mail ou acessando o sistema dos prestadores de serviço com login e senha, são informações disponibilizadas em tempo real.

Numerário

Considera-se o numerário uma previsão de custos, gerada pelo despachante aduaneiro ou comissária de despachos, para rea-

---

[7]. CNCA é um certificado emitido nas exportações para a República de Angola. Essa abreviação significa Conselho Nacional de Carregadores de Angola.

lizar os pagamentos pertinentes ao desembaraço aduaneiro e à logística da exportação. Geralmente, as taxas adicionadas a esse numerário são as de transporte rodoviário do exportador ao porto, porto seco, aeroporto ou local designado, estufagem do contêiner e apeação (quando embarque for *full container*), movimentação, armazenagem em algumas situações, taxas do agente de cargas, entre outras. Tudo isso será discutido com o despachante na hora em que ele montar o escopo do cliente, pois alguns exportadores preferem pagar as taxas diretamente e outros preferem centralizar tudo com o despachante, facilitando os pagamentos às empresas envolvidas na operação. Particularmente, é preferível quando o cliente adianta todos os valores, pois assim o fluxo da operação flui com mais tranquilidade e o despachante conhece o procedimento a ser adotado para realizar cada pagamento.

É o caso do pagamento das taxas de frete internacional ao agente de cargas, que deve ser realizado no dia do recebimento da cobrança devido à flutuação da moeda estrangeira: se não conseguir pagar no dia, os valores atualizados devem ser solicitados no dia seguinte.

Se faltarem recursos financeiros durante a liberação, é comum o despachante enviar um numerário complementar para receber mais adiantamento e finalizar os pagamentos da operação.

Fechamento

Após o desembaraço de exportação e embarque da mercadoria, o despachante aduaneiro fará o fechamento do processo de exportação, anexando os documentos originais, como conhecimento de embarque, fatura comercial, romaneio de carga e qualquer outro documento que tenha emitido ou recebido para realizar o despacho aduaneiro da mercadoria. Além disso, são anexados o extrato da Declaração Única de Exportação averbada e todas as notas fiscais, recibos e comprovantes dos pagamentos realizados às empresas terceiras envolvidas na operação. Nessa hora, caso tenha sobrado saldo a favor do exportador, esse recurso financeiro ser-lhe-á devolvido; havendo algum valor em aberto com o despachante, a devida cobrança será realizada. O fechamento leva de três a cinco dias úteis para ser efetuado após o embarque da mercadoria, pois algumas empresas, como o agente de cargas, levam de dois a três dias para emitir o jogo de conhecimento de embarque original (quando marítimo). Aconselho sempre ao exportador que aguarde o fechamento final para efetuar o cálculo completo do custo real da operação.

Agentes de cargas

Os agentes de cargas, também conhecidos como *Freight Forwarders*, são empresas especializadas em logística internacional. Na prática, são intermediários nas negociações de frete internacional entre armadores, companhias aéreas, exportadores e importadores. Eles realizam a comercialização desses fretes, além de tratar dos documentos, *bookings*, consolidações da carga, emissão dos conhecimentos de embarque, pagamentos das taxas aos contratados, coordenação do embarque físico da carga e *follow-up* do processo.

De maneira geral, os agentes de cargas do Brasil possuem representantes (outros agentes de cargas) em diversos países. Na maioria dos fretes internacionais na modalidade *collect* (a ser pago no destino pelo importador comprador), esses agentes brasileiros são contratados pelos seus representantes (agente de cargas estrangeiro) para contratar ou coordenar o frete diretamente com o armador ou companhia aérea na origem, emitindo o BL ou AWB e tendo como agente desconsolidador no destino o próprio agente de cargas estrangeiro representante e contratante. Isso porque o importador estrangeiro geralmente contrata o frete internacional em seu país, com algum agente de cargas de confiança dele, por isso o fluxo da operação ocorre dessa maneira, porém não deve ser tratada como uma regra, pois há outras opções. Nos embarques *prepaid* (a ser pago na origem pelo exportador vendedor), o frete internacional é contratado pelo agente de cargas brasileiro diretamente do armador ou da companhia aérea no Brasil, e o responsável desconsolidador no país destinatário é determinado por esse agente de cargas brasileiro contratado pelo exportador.

Os principais motivos para contratar esse profissional são o *know-how*, melhores opções de tarifas e agilidade em realizar a operação. Alguns despachantes aduaneiros também realizam agenciamento de cargas ou possuem parcerias com eles, sendo possível integrar o mesmo prestador para ambos os serviços. Aproveite, pois dessa maneira o exportador terá mais eficiência na operação e consequente redução de custos com uma logística integrada.

Agentes de cargas especializados em atuar em determinados países são comuns no mercado brasileiro. Com a ascensão dos países asiáticos, muitos se especializaram nas rotas Brasil *versus* Ásia e oferecem ótimas tarifas, porém não conseguem ser tão competitivos no caso de outros países. Portanto, sugiro sempre verificar para onde os agentes de cargas têm mais volume de embarque e melhores condições, possibilitando decisões mais acertadas. Sempre que contratar um desses profissionais, verifique se ele é membro de alguma aliança internacional. Trata-se de alianças de *networking* que têm como função conectar agentes de cargas independentes do mundo todo, para que tenham força para concorrer com as multinacionais. Para tornar-se membro delas, é necessário passar por uma auditoria, dando a certeza de que se trata de um profissional idôneo, dando, assim, credibilidade para ser contratado pelo exportador.

Terminais de cargas

Também conhecidos como armazéns ou recintos alfandegados, são estabelecimentos que prestam o serviço de armazenagem enquanto a mercadoria exportada aguarda o processo de desembaraço aduaneiro. São, em sua maioria, de administração privada, porém possuem a concessão da Receita Federal para guardar e movimentar produtos importados ou a serem exportados sob o controle aduaneiro. Dessa forma, exercem o papel de Fiel Depositário, tendo a custódia da mercadoria até que o processo de liberação seja finalizado.

Até pouco tempo atrás, os terminais de cargas em aeroportos tinham como administradora somente a Empresa Brasileira de Infraestrutura Aeroportuária (Infraero), de cunho público. Porém, com as privatizações estabelecidas pelo governo brasileiro, muitos aeroportos estão passando por concessões, nas quais esse órgão se torna sócio em uma parceria público-privada (PPP).

O exportador deve sempre pesquisar quais são os terminais de carga disponíveis, de modo a conhecer a estrutura física e a idoneidade de cada um, e também negociar antecipadamente a proposta de prestação de serviços, para que tenha tudo formalizado e a certeza de que está trabalhando com um terminal com estrutura apropriada e capacidade de movimentar seu tipo de mercadoria de maneira profissional e segura. Alguns produtos, como alimentícios, refrigerados e químicos, exigem capacidade técnica específica do armazém e área segregada para evitar contaminação.

Esses terminais podem estar próximos ao porto, aeroporto ou fronteira (zona primária), ou em outras regiões mais afastadas, consideradas zonas secundárias. Em alguns casos, como comentado no tópico sobre frete rodoviário nacional e internacional, vale a pena analisar o custo-benefício de liberar (desembaraçar) a mercadoria nos terminais de zona secundária, pois são menos congestionados e o desembaraço aduaneiro acaba sendo mais ágil. Esses locais são conhecidos como portos secos, Estação Aduaneira do Interior (Eadi), Recinto Especial para Despacho Aduaneiro de Exportação (Redex) ou Centro Logístico e Industrial Aduaneiro (Clia).

A armazenagem é uma das despesas mais sensíveis na exportação, uma negociação antecipada e planejada é de extrema importância. O controle deve ser realizado de perto pela exportadora, para conter incidência de taxas e cobranças desnecessárias, evitando o uso do segundo ou terceiro período de armazenagem e operações extraordinárias (quando o depósito opera a seu favor fora do horário comercial).

Diante da competitividade entre os terminais, é possível conseguir tarifário bem competitivo, reduzindo ao máximo esses custos. Outro ponto importante é que a maioria dos terminais concede armazenagem livre por um período de 7 a 10 dias, a depender da política comercial do terminal, porém há a cobrança de outras taxas que devem ser confirmadas, como: movimentação, pesagem, estufagem, scanner, apeação, entre outras, de acordo com o escopo contratado entre exportador e terminal.

Transportadoras

Assim como há nichos de mercado em qualquer serviço, no transporte rodoviário não é diferente. Para deslocar contêineres vazios ou cheios, carga solta, granel, *big bags*, *flextanks*, todo e qualquer tipo de embalagem com mercadorias a serem exportadas, de origem nacional para exportação, há transportadoras especializadas que realizam o translado a partir do estabelecimento do exportador, do armazém terceiro ou do fabricante/produtor até o porto, porto seco, aeroporto ou fronteira. É de extrema importância contratar uma transportadora habituada a realizar esse tipo de serviço, pois há algumas peculiaridades que devem ser levadas em consideração. São os casos de cadastros das transportadoras nos terminais, biometria e integração dos motoristas, sistemas com login e senha para agendamento eletrônico e demais exigências conforme o tipo de produto, como o uso de EPIs, certificação MOPP e caminhões homologados para o transporte de químicos. Portanto, caso contrate alguma transportadora que desconheça essa tramitação, o exportador deverá ter muita paciência até que ela aprenda todo o fluxo da operação. Para evitar qualquer problema, realize uma pesquisa com algumas transportadoras e selecione a mais adequada, levando em consideração as indicações do despachante aduaneiro, que, além de ter um relacionamento com a transportadora, saberá da competência técnica. Há muitas comissárias de despacho que também têm o serviço de transporte rodoviário, sendo ótimas opções a cogitar, pois a integração operacional das atividades garante maior agilidade na operação.

Nós, brasileiros, temos o hábito de focar no preço quando avaliamos a contratação de uma empresa, acreditando somente em palavras. Porém, a fim de ter a certeza de que estamos trabalhando com a transportadora correta, outros pontos devem ser considerados. No caso do transporte rodoviário, certifique-se de que a transportadora possui frota própria de caminhões, qual a idade média dessa frota, *follow-up*, se os veículos são rastreados, se o gerenciamento dos seus documentos é efetuado devidamente, como funciona a manutenção da frota, se ela cumpre com todos os requisitos da lei do motorista, como descanso e diárias, e se possui vigentes as devidas licenças, apólice de seguros e gerenciamento de risco. Quanto ao seguro, solicite uma cópia da apólice para verificar sobre a cobertura, validade e demais informações. O exportador, como contratante, é responsável solidário pela regularidade ou irregularidade do procedimento, dessa forma, a análise criteriosa de cada informação é de extrema importância.

Muitas vezes, fazemos o mais difícil, mas erramos no básico. Então, não deixe de analisar de perto cada prestador de serviço envolvido nas suas operações.

> "Chegou a hora de o Brasil assumir o papel de protagonista, que sempre lhe coube"

CONSIDERAÇÕES FINAIS

Diante do apresentado, podemos concluir que, em meio a tantas dificuldades para empreender no Brasil, o poder de superação das empresas brasileiras é imenso e que atuar no mercado internacional não é tão complexo como se imagina. Neste manual, apresentei todos (ou quase todos) os pontos a serem observados para exportar de maneira segura, viável e contínua. Esclareci e provei que as pequenas e médias empresas também podem exportar.

Independentemente do tamanho do seu negócio, o que vai diferenciá-lo é a sua vontade, a criatividade, o foco e, principalmente, as suas atitudes. Os empresários de pequenas e médias empresas são as forças motrizes do Brasil. A cada visita que realizo aos nossos clientes ou *prospects*, o entusiasmo e a resiliência desses empreendedores me impressionam.

As oportunidades de negócios em diversos países são imensuráveis, temos que identificá-las e agir proativamente. Ser a vanguarda, e não apenas esperar que o Estado ajude em alguma coisa. As ferramentas existem, basta acessarmos, "irmos pra cima" do mercado externo em vez de aguardar que a oportunidade bata em nossa porta.

Nossos produtos já são do "tipo exportação". Se vendemos no mercado interno, concorremos com importados. Isso significa que produzimos itens com padrão internacional. Quando você adquire mercadorias chinesas, a qualidade é extraordinária? Então por que não confiar no que você produz?

Não existem mais barreiras entre países. O que existem são obstáculos criados pelas nossas próprias mentes, muitas vezes enclausuradas em notícias falaciosas ou apegadas a experiências ouvidas ou vivenciadas. Estamos em outra era, a era da tecnologia, do conhecimento, do compartilhamento, dos novos modelos de negócios: a globalização.

Exportar não significa vender milhões mensalmente. Nenhum negócio nasce grande. Comece atendendo pedidos pequenos, estipulando seu pedido mínimo (MOQ) atrelado a um prazo de entrega possível, até que ganhe o ritmo e a confiança necessários para investir mais. Assim, você entenderá o fluxo completo e, a cada exportação realizada, essa operação se tornará mais tangível, até que se torne uma rotina.

Sempre que questiono empresários que exportam com frequência sobre a viabilidade e se de fato é um bom negócio, a maioria responde que deveria ter começado antes.

Chegou a hora de o Brasil assumir o papel de protagonista na América Latina e no mundo, retomando a nossa representatividade e presença internacional! E você é parte primordial dessa mudança. Afinal, exportar é uma questão de mentalidade e logística!

REFERÊNCIAS

ABTI. Disponível em: http://www.abti.com.br/. Acesso em: 13 abr. 2020.

BARRAZA INTERNATIONAL. Disponível em: http://www.barraza-international.com/blog/. Acesso em: 13 abr. 2020.

DANIEL, Isaura. *Advogada mostra caminhos para registrar marcas no exterior.* ANBA. 21.08.2018. Disponível em: https://www.ldsoft.com.br/blogs/advogada-mostra-caminhos-para-registrar-marcas-no-exterior/. Acesso em: 13 abr. 2020.

FIEP. Disponível em: http://www.fiepr.org.br/cinpr/. Acesso em: 13 abr. 2020.

LACERDA, André. *Como registrar uma marca internacionalmente.* 26.01.2018. Disponível em: https://apolomarcas.com.br/como-registrar-uma-marca-internacionalmente/. Acesso em: 13 abr. 2020.

Marca de produto para exportação. Disponível em: http://www.provinciamarcas.com.br/marca-de-produto-para-exportacao/. Acesso em: 13 abr. 2020.

MINISTÉRIO DA ECONOMIA. *Empresa Comercial Exportadora/Trading Company.* Disponível em: http://www.mdic.gov.br/comercio-exterior/empresa-comercial-exportadora-trading-company. Acesso em: 13 abr. 2020.

RECEITA FEDERAL. *Receita Federal disponibiliza nova versão do Manual Aduaneiro de Exportação via Portal Único de Comércio Exterior.* 21.01.2019. Disponível em: http://idg.receita.

fazenda.gov.br/noticias/ascom/2019/janeiro/receita-federal-disponibiliza-nova-versao-do-manual-aduaneiro-de-exportacao-via-portal-unico-de-comercio-exterior. Acesso em: 13 abr. 2020.

SISCOMEX. *Exportação*. 12.06.2019. Disponível em: http://portal.siscomex.gov.br/perguntas_frequentes/exportacao. Acesso em: 13 abr. 2020.

LIVROS

CASTRO, José Augusto de. *Exportação*: aspectos práticos e operacionais. São Paulo: José Augusto de Castro, Editora Aduaneiras. 5ª Edição, 2003.

FONTES, Kleber. *7 passos para o sucesso na importação*. São Paulo: Labrador. 2017.

KEEDI, Samir. *ABC do comércio exterior*. São Paulo: Aduaneiras. 3ª Edição, 2010.

MDIC. *Exportação passo a passo*. Brasilia, DF: Brazil Trade Net. 2009.

MINERVINI, Nicola. *O exportador*: construindo o seu projeto de internacionalização. São Paulo: Editora Pearson Prentice Hall. 4ª Edição, 2005.

RUIZ, Fernando. *Exportações brasileiras*. São Paulo: Fernando Ruiz, Editora Senac. 2007.

SEGALIS, Gabriel; FRANÇA, Ronaldo de; ATSUMI, Shirley Yurica Kanamori. *Fundamentos de exportação e importação no Brasil*. Rio de Janeiro: Editora FGV. 2012.

SEGRE, German. *Manual prático de comércio exterior*. São Paulo: Atlas. 3ª Edição, 2010.

TROYJO, Marcos. *Desglobalização*. São Paulo: Alphagraphics. 2017.

VIEIRA, Aquiles. *Teoria e prática cambial*. São Paulo: Editora Aduaneiras. 2ª Edição, 2005.

WERNECK, Dorothea. *A primeira exportação a gente nunca esquece*. Rio de Janeiro: Apex. 2003.

Esta obra foi composta em Utopia Std 10 pt e impressa em
papel Offset 75 g/m² pela gráfica Viena.